MANUEL ÁLVAREZ GARCÍA

# LÉXICO-GÉNESIS EN ESPAÑOL: LOS MORFEMAS FACULTATIVOS

Anales de la Universidad Hispalense — Publicaciones de la Universidad de Sevilla

Serie: FILOSOFIA Y LETRAS — Núm. 47 - 1979

Edita: Secretariado de Publicaciones de la Universidad de Sevilla
Cubierta: José M.ª Armengol
Imprime: Imp. y Pap. Raimundo. Pza. F. Española, 5. Sevilla. 1979
Depósito Legal: SE-500-1979
ISBN: 84-7405-154-1

# ÍNDICE

Pág.

**INTRODUCCIÓN** ........ 7
1.1. OBJETIVOS ........ 7
1.2. TERMINOLOGÍA Y CRITERIOS METODOLÓGICOS ........ 8

**EL MORFEMA** ........ 11
2.1. TIPOS DE MORFEMA ........ 11
2.2. LA NOCIÓN DE MORFO Y ALOMORFO ........ 12
2.3. LA DISTRIBUCIÓN DE LOS MORFEMAS EN LA PALABRA ........ 14
2.4. UN SUBGRUPO DENTRO DEL MORFEMA: LOS MORFEMAS FACULTATIVOS ........ 16
2.4.1. *Algunas precisiones en torno al apartado anterior y en relación con nuestro estudio* ........ 17
2.4.2. *Hacia una clasificación metodológica de los morfemas facultativos* ........ 20
2.4.3. *Los procesos de lexicalización y gramaticalización en los morfemas facultativos* ........ 23
2.4.3.1. La lexicalización ........ 25
2.4.3.2. La gramaticalización ........ 29

**EL PROBLEMA DEL INTERFIJO** ........ 33
3.1. NUESTRO ENFOQUE DEL PROBLEMA ........ 34

**SISTEMATIZACIÓN LINGUÍSTICA DE LOS MORFEMAS FACULTATIVOS** ........ 37
4.1. LOS MORFEMAS FACULTATIVOS ANTEPUESTOS ........ 38
4.1.1. *Agrupación formal y resultados funcionales* ........ 46
4.1.1.1. En los morfemas modificadores de categoría ........ 47
4.1.1.1.1. Los que combinados con base nominal > verbo ........ 47
4.1.1.1.2. Los que combinados con base adjetiva > verbo ........ 48
4.1.1.1.3. Casos especiales ........ 49

4.1.1.2. En los morfemas no modificadores de categoría .....
4.1.1.2.1. Los que se combinan con sustantivo .....
4.1.1.2.2. Los que se combinan con adjetivo .......
4.1.1.2.3. Los que se combinan con verbo .........
4.1.2. *Funcionamiento de los microsistemas léxico-semánticos originados* .........................................
4.2. LOS MORFEMAS FACULTATIVOS POSPUESTOS .............
4.2.1. *Agrupación formal y resultados funcionales* ...............
4.2.1.1. En los morfemas que no añaden orientación semántica a la base ..............................
4.2.1.2. En los morfemas que añaden orientación semántica a la base ......................................
4.2.1.2.1. En los morfemas modificadores de categoría
4.2.1.2.1.1. Los que combinan con base nominal > adjetivo .........
4.2.1.2.1.2. Los que combinados con base verbal > adjetivo ..........
4.2.1.2.1.3. Los que combinados con base nominal > verbo ..........
4.2.1.2.1.4. Los que combinados con base adjetiva > verbo ..........
4.2.1.2.2. En los morfemas no modificadores de categoría ..............................
4.2.1.2.2.1. Los que se combinan con sustantivo ..................
4.2.1.2.2.2. Los que se combinan con adjetivo ....................
4.2.1.2.2.3. Los que se combinan con verbo
4.2.1.2.2.4. Estudio de un caso especial ..
4.2.2. *Funcionamiento de los microsistemas léxico-semánticos originados* .........................................
4.3. ESTUDIO DE UNA FORMA INDIFERENTE A LA DISTRIBUCIÓN ...
4.4. SELECCIÓN DE ALOMORFOS ...........................

5. **CONCLUSIONES: ENRIQUECIMIENTO LÉXICO Y ECONOMÍA** .....
5.1. ESTRUCTURA INTERNA DEL LÉXICO Y MORFEMAS FACULTATIVOS ....................................................
5.2. FUNCIÓN DE LOS MORFEMAS FACULTATIVOS EN EL CAMPO DEL LÉXICO ............................................
5.3. MORFEMAS FACULTATIVOS Y LÉXICO: ESTABILIDAD, DINÁMICA Y EQUILIBRIO DEL SISTEMA ...........................

**ÍNDICE DE MORFOS Y ALOMORFOS** ..............................

**BIBLIOGRAFÍA GENERAL** ......................................

# 1. INTRODUCCIÓN

## 1.1. OBJETIVOS.

Pretendemos con este trabajo poder llegar a una sistematización de los *morfemas facultativos* en la sincronía actual de la lengua española tanto en lo que se refiere a su forma como a su función y significación.

La razón fundamental que nos ha llevado a la investigación en esta parcela de nuestra lengua ha sido el considerar que estos elementos merecen un estudio como algo que se encuentra a caballo entre la gramática y el léxico. Una prueba irrefutable de la inseparabilidad de una y otro.

Los *morfemas facultativos,* por una parte, parece que deben estudiarse en la gramática, en tanto que constituyen un conjunto acabado en sincronía, que, por supuesto, puede cambiar, en cuanto al número de elementos —aumentando o disminuyendo—, en diacronía.

Pero, por otra parte, parece que están vinculados al léxico desde el momento en que constituyen uno de los recursos de que dispone nuestra lengua para generar nuevas unidades léxicas: nuevas palabras o lexías.

Vinculados a la gramática, se encontrarían muy próximos a los *morfemas constitutivos* de *género, número, aspecto, modalidad, modo, época,* etc....

Llevados al léxico, estarían emparentados con otro procedimiento de crear nuevas lexías: la *composición.*

El español puede también producir nuevas unidades léxicas con la simple combinación de los *morfemas constitutivos* con lexemas en la doble dirección sustantivo — verbo:

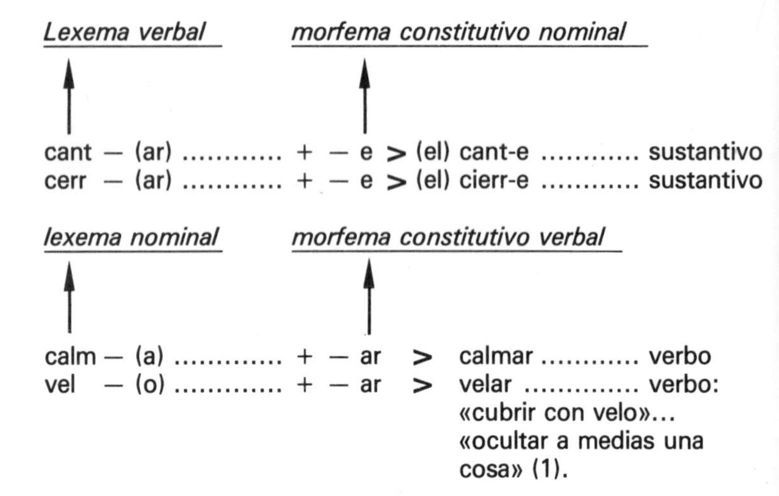


Estos procedimientos léxico-genésicos del español que hemos enunciado hasta aquí —*morfemas facultativos, composición, morfemas constitutivos*— son recursos intralingüísticos, en la medida en que se utilizan elementos propios del sistema para la creación de unidades nuevas en el plano del léxico.

Pero la lengua puede recurrir a otros procedimientos para acrecentar o renovar su léxico; tal es el caso de los *préstamos* tomados de otras lenguas o las *creaciones onomatopéyicas.*

Nuestro quehacer se refiere única y exclusivamente al estudio de uno de estos procedimientos de *léxico-génesis,* y más concretamente, al análisis de los elementos que se utilizan en ese procedimiento, al que podemos llamar *derivación,* para distinguirlo, nominalmente, de la *composición,* del *préstamo* y de las *creaciones onomatopéyicas;* muy escasas estas últimas a nuestro juicio.

## 1.2. TERMINOLOGÍA Y CRITERIOS METODOLÓGICOS.

Prescindimos de discusiones terminológicas y, únicamente, queremos señalar que, para nuestro estudio, nos situamos, en líneas generales, en el método estructural de las escuelas euro-

(1) *DRAE,* s. v. *velar*[2].

peas de orientación funcional. Por tanto, la terminología que empleamos es la del manejo común en estas escuelas. Esto no quiere decir que no hayamos tenido en cuenta las aportaciones de otras escuelas lingüísticas como la transformacional en lo que al tema que tratamos se refiere y, por supuesto, hemos aprovechado las observaciones de la gramática tradicional, que, en diversos momentos, nos han servido de punto de partida.

## 2. EL MORFEMA

Dentro de las unidades de los niveles de la estructura lingüística aparece el *morfema* como una unidad situada en el plano del contenido del signo lingüístico.

Prescindimos aquí de una definición de las demás unidades, dado que nuestro estudio se centra en el *morfema* y en las relaciones que pueden establecerse entre unos morfemas y otros, al combinarse para dar lugar a unidades superiores: lexías o palabras.

Seguimos en la definición de *morfema* a F. Lázaro Carreter: «Unidad morfológica no susceptible de ser dividida en unidades morfológicas más pequeñas, es decir, una parte de la palabra que, en toda una serie de palabras, se presenta con la misma función formal, y que no es susceptible de ser dividida en partes más pequeñas que posean esta cualidad» (2).

El *morfema* constituye la unidad mínima de contenido, portadora de dos caras: significante y significado.

Para las otras unidades puede verse: V. Lamíquiz (3).

### 2.1. TIPOS DE MORFEMA.

Siguiendo a B. Pottier se establecen dos tipos: *morfemas léxicos* y *morfemas gramaticales.*

«En la mayoría de las lenguas se encuentran dos clases de morfemas: los morfemas lexicales o *lexemas,* que pertenecen a

---

(2) F. Lázaro Carreter, *Diccionario de Términos Filológicos.* Gredos. Madrid, 1971, p. 283.

(3) V. Lamíquiz, *Lingüística Española.* Publicaciones de la Universidad de Sevilla. Sevilla, 1973, pp. 145-146-147.

inventarios ilimitados (ignoramos cuántos radicales verbales existen en español) y abiertos (tomamos constantemente radicales extranjeros, como préstamos); y los morfemas gramaticales o *gramemas,* que pertenecen a inventarios limitados (cfr. la lista de sufijos o de conjunciones) y cerrados (conscientemente el individuo no puede crear un nuevo morfema gramatical)» (4).

## 2.2. LA NOCIÓN DE MORFO Y ALOMORFO.

El *morfema,* desde el momento en que necesita apoyarse en una forma de expresión para manifestarse, forzosamente tiene que tener unas características determinadas de forma y distribución. Gracias a ésto, podemos nosotros delimitar, en la cadena hablada, los distintos *morfemas,* donde tendremos ocasión de observar el caso de alguna forma que recubre más de un contenido; el caso de un contenido al que corresponde una sola forma y el caso de varias formas que manifiestan un mismo contenido.

Estableciendo un paralelismo entre el plano del contenido y el de la expresión podemos afirmar que el *morfema* —al igual que el fonema—, es una abstracción, que tiene su materialización en el discurso en el *morfo* y *alomorfo,* como el fonema se realizaba en el sonido y en los alófonos.

En el caso de que un *morfema* presente siempre las mismas realizaciones formales y la misma distribución, hablamos de *morfos* de un *morfema:* por ej.: en español la preposición «para».

Cada uno de los usos individuales de «para» es un *morfo.*

Pero no siempre ocurre esto así; hay casos en que a un *morfema* corresponden *morfos* de forma diferente; el conjunto de estos *morfos* constituirá los *alomorfos* de dicho *morfema:*

Ejs.: ***A*** - *político*
***Des*** - *honesto*
***In*** - *sincero*

---

(4) B. Pottier, *Presentación de la Lingüística.* Alcalá, Madrid, 1968, p. 53.

La forma ***a*** - ____ con su variante formal ***an*** - ____; ***des*** - ____ con sus variantes formales ***de*** - , ***di*** -, ***dis*** - ____ y la forma ***in*** - ____ con sus variantes ***im*** -, ***i*** - ____, no son más que los *alomorfos* del *morfema facultativo antepuesto* a la base adjetiva que sirve para expresar la noción contraria del contenido semántico de dicha base.

Partiendo del estudio de hechos de habla, podemos llegar a establecer los *morfos* y *alomorfos* de los distintos *morfemas facultativos.*

Creemos, según dice F. Rodríguez Adrados, que sólo hay un camino que puede llevarnos a delimitar los *morfemas:* «el criterio para agruparlos en *morfemas* es la distribución» (5).

Opinamos que esta agrupación de *alomorfos* puede ser llevada a cabo en todo el plano del contenido; no sólo en la parte gramatical, donde ya se han apuntado algunos ejemplos de alomorfismo, sino también en el léxico.

Igual que ocurre en la fonología, donde se habla de distribución libre y distribución complementaria de alófonos, sucede aquí, donde también hay *alomorfos* en distribución libre y otros en distribución complementaria.

Se dice que dos o más *alomorfos* son libres cuando en una misma distribución puede elegirse para su empleo cualquiera de ellos y cumple la misma función, «tiene igual valor distintivo» (6).

Ej.: «en las diversas pronunciaciones del part. pas. español *- a - do: / - a - do /, / - a - $^{d}$o / , / - a - o /,* según la cultura del que habla, lo cuidado del estilo, etc.» (7).

Cuando no es posible un uso alternativo, sino que cada *alomorfo* aparece en una determinada distribución estamos ante los llamados *alomorfos* complementarios; en este segundo caso los *alomorfos* se excluyen mutuamente.

Queremos insistir en que el conjunto de *alomorfos* de un *morfema* es soporte formal de una misma unidad de contenido, con la misma función y el mismo significado.

Ej.: El prefijo ***con*** - , en español, se presenta bajo tres variantes formales: ***con*** - , ***com*** -, ***co*** - :

---

(5) F. Rodríguez Adrados, *Lingüística Estructural.* Gredos, Madrid, 1969, I, p. 179.

(6) Cfr. F. Rodríguez Adrados, *Lingüística...,* op. cit., p. 179.

(7) Cfr. F. Rodríguez Adrados, *Lingüística...,* op. cit., p. 190.

***Con*** - *tener*
***Com*** - *batir*
***Co*** - *meter*

La distribución complementaria de *alomorfos,* en algunos casos, como en el ejemplo citado, está condicionada por lo fonológico, pero, en otros, puede estarlo por motivos diferentes.

## 2.3. LA DISTRIBUCIÓN DE LOS MORFEMAS EN LA PALABRA.

Hay una serie de *morfemas* que siempre preceden al lexema; son los llamados prefijos:

Ejs.: ***Contra*** - *dec* - *ir*
↓ ↓ ↓
prefijo lexema sufijo

***En*** - *cog* - *er*
↓ ↓ ↓
prefijo lexema sufijo

***Retro*** - *ced* - *er*
↓ ↓ ↓
prefijo lexema sufijo

Hay otro grupo de *morfemas* que siempre sigue al lexema; a éstos se les conoce con el nombre genérico de sufijos:

Ejs.:

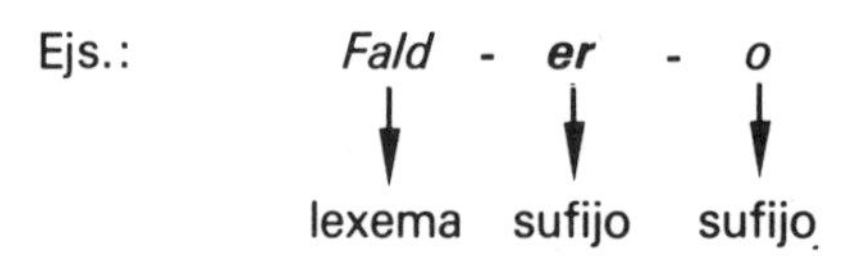

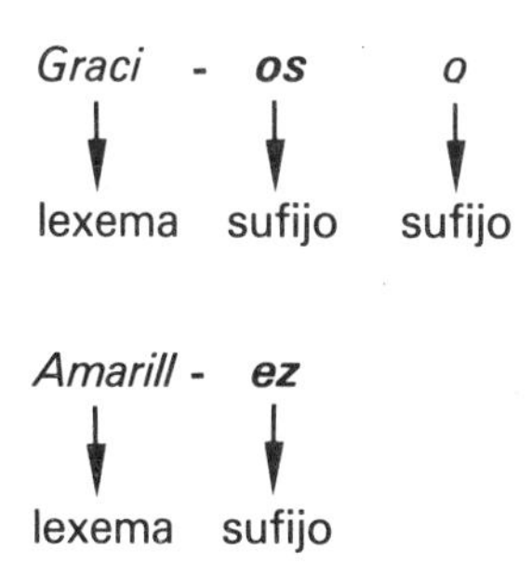


Tenemos que señalar también que antes del lexema puede aparecer una cadena de prefijos; igual hecho puede ocurrir con los sufijos.

En la palabra podemos encontrar otro elemento situado entre el prefijo y el lexema o entre éste y el sufijo; su definición encierra bastantes dificultades.

Aceptamos para este elemento el término «interfijo», siguiendo a Y. Malkiel:

«Entre las varias categorías morfológicas que se han señalado en español y en las otras lenguas romances hay una particularmente mal definida y peor estudiada. Es el segmento, siempre átono y falto de significado propio, entre el radical y el sufijo de ciertos derivados; por ej., el elemento *-ar-* en *hum-ar-eda, polv-ar-eda,* palabras que no es lícito descomponer en *humar-* y *polvar-eda,* por no existir ni haber existido nunca, que sepamos, las fases intermedias **humar-, *polvar-,* como formaciones independientes.

Ni siquiera hay acuerdo sobre el nombre que debe llevar tal elemento intercalado» (8).

Y. Malkiel se decide por el empleo del término «interfijo» y puntualiza:

«Tal vez la solución ideal sería distinguir un interfijo anterior o postprefijo (*en-s-anch-ar*) muy raro en español, de un interfijo posterior o antesufijo (*polv-ar-eda*), bastante común, sobre todo si se toma en cuenta el abundante caudal léxico de los dialectos» (9).

---

(8) Y. Malkiel, «Los Interfijos Hispánicos. Problema de Lingüística Histórica y Estructural» en *Miscelánea-Homenaje a A. Martinet,* II. Universidad de La Laguna, 1958, p. 107.

(9) Cfr. Y. Malkiel, «Los Interfijos...», op. cit., p. 116.

## 2.4. UN SUBGRUPO DENTRO DEL MORFEMA: LOS MORFEMAS FACULTATIVOS.

Los elementos que en el apartado anterior (cfr. 2.2.) hemos denominado prefijos se incluyen en lo que vamos a llamar *morfemas facultativos.* En lo que se refiere a los sufijos hemos de hacer algunas aclaraciones.

No incluiremos dentro de los *morfemas facultativos* aquellos sufijos que en la clase sustantivo y adjetivo son indicadores del *género* y el *número,* y en algunas lenguas, donde existe una declinación, indicadores del *caso.*

Tampoco se incluyen aquellos sufijos que en la clase verbal son indicadores de la *persona,* el *número,* la *actualidad,* la *época,* el *aspecto,* el *modo,* la *modalidad* y la *voz.*

A estos *morfemas,* que necesariamente acompañan al verbo, sustantivo, o adjetivo, les damos la denominación de *morfemas constitutivos.*

Mediante algún ejemplo mostraremos lo que acabamos de indicar:

*Martir - **iz** - ab - a*

Al desglosar los elementos formales de la palabra en cursiva tenemos:

*martir -* morfema léxico o lexema.
- ***iz*** - . . . morfema facultativo.
- *ab* - . . morfema constitutivo, indicador de voz, modo, actualidad, época y aspecto.
- *a* . . . . . morfema constitutivo, indicador de persona.
- ***ɸ*** . . . . morfema constitutivo, indicador de número singular por oposición a - *n,* indicador de plural.

***Em** - papel - ar*

***em*** - . . . morfema facultativo.
- *papel* -. morfema léxico o lexema.
- *ar* . . . . morfema constitutivo, indicador de clase verbal.

*Palabr - **ej** - a*

*palabr* - . morfema léxico o lexema.
- ***ej*** - . . . morfema facultativo.
- *a* . . . . . morfema constitutivo, indicador de género.
- ***ɸ*** . . . . morfema constitutivo, indicador de singular, frente al indicador de plural - *s.*

*Delgad* - ***uch*** - *o*

*delgad* -. morfema léxico o lexema.
- ***uch*** - . morfema facultativo.
- *o* .... morfema constitutivo, indicador de género.
- ***ø*** ... morfema constitutivo, indicador de singular frente al indicador de plural - *s.*

Frente al funcionamiento de presencia/ausencia de marcas en determinados *morfemas,* podemos encontrar en algunas lenguas, la «inexistencia» de ciertos *morfemas* que se presentan en otras. Así, en español hay «inexistencia» de *morfemas* casuales frente al latín y demás lenguas indoeuropeas, donde estos *morfemas* se manifiestan mediante determinadas marcas formales.

Como resumen diremos que el hecho que separa radicalmente a los *morfemas constitutivos* de los *facultativos* —todos ellos *morfemas gramaticales*—, es que los primeros deben aparecer necesariamente con determinada clase gramatical —sustantivo, adjetivo, verbo—, mientras que los segundos pueden aparecer o no.

Los *morfemas constitutivos* forman unos sistemas muy cerrados, donde es muy difícil que pueda aparecer un nuevo elemento porque este hecho supondría una perturbación grande en el sistema existente, mientras que los *morfemas facultativos* constituyen unos sistemas mucho más abiertos, donde es más fácil que puedan entrar formas nuevas sin que esto suponga un gran desequilibrio para las ya existentes.

El estudio de los *morfemas facultativos,* dentro del español y en una sincronía actual, es lo que nos proponemos en este trabajo.

2.4.1. *Algunas precisiones en torno al apartado anterior y en relación con nuestro estudio.*

Antes de entrar de lleno en nuestro estudio, queremos delimitar con la mayor exactitud posible el campo donde vamos a movernos y eliminar de él una serie de elementos que, a nuestro juicio, no funcionan como *morfemas facultativos* en la sincronía que nos ocupa, aunque hayan funcionado como tales en un momento dado de la historia de la lengua o algunos puedan hacerlo en el futuro.

En lo que se refiere a los *morfemas facultativos ante-*

*puestos* al lexema —prefijos— recogemos las palabras de J. Peytard, que, creemos, aclaran la cuestión planteada.

«Se puede formular en principio que un elemento de construcción no conoce un estatuto prefijal más que si «se libera» de la palabra construida para encontrar en el léxico (o científico o vulgar) una cierta disponibilidad. Pero esta «liberación» no puede intervenir más que en un cierto grado de productividad cuantitativa y en unas condiciones de motivación» (10).

En el plano lingüístico, la motivación no puede ser tratada más que como una probabilidad.

Ciertas estructuras, algunas frecuencias, determinadas interferencias léxicas, hacen probable, en un momento dado de la diacronía, una motivación.

«Desde el punto de vista sincrónico, todo derivado prefijal y sufijal está motivado con tal de que sea sentido como tal» dice S. Ullmann (11).

Hemos de tener en cuenta que según funcione la base con la que se combine el prefijo, la motivación será diferente.

Con una base que no pueda funcionar de una manera autónoma, la motivación es necesariamente más restringida que con una base que pueda hacerlo, puesto que la primera no será productiva más que en un léxico específico (científico o técnico), mientras que la segunda será productiva tanto en un léxico específico como en un léxico vulgar o común.

En sincronía, sólo podrá considerarse prefijo aquel elemento que pueda combinarse con divesas bases. Y, a su vez, estas bases —excepto las integradas— puedan funcionar sin el elemento prefijal.

Si los dos elementos pueden funcionar por separado con sus *morfemas constitutivos* y tienen autonomía semántica, no estamos en un caso de derivación sino de composición.

Con estos presupuestos eliminamos de nuestro estudio aquellos elementos que, a primera vista, podrían ser considerados *morfemas facultativos antepuestos* al lexema pero que, en algunos casos, están totalmente integrados en esa base, y, por tanto, carecen de productividad en el sistema de la lengua, y, en otros, gozan, tanto ellos como el lexema al que se unen,

---

(10) J. Peytard, «Motivation et Préfixation: Remarques sur les Mots Construits avec l'Élément «tele»», en *Cahiers de Lexicologie,* 4, 1964, I, p. 37.

(11) S. Ullmann, *Précis de Sémantique Française.* A. Francke. Berne, 1952, pp. 103-104.

de autonomía funcional y semántica, constituyendo entonces casos de composición.

En lo que se refiere a los *morfemas facultativos pospuestos* al lexema —excepción hecha de los interfijos, que serán estudiados en un capítulo diferente (cfr. 3.)— seguimos, para su delimitación, a R. Martín:

«Sin minimizar el papel del sistema sufijal en la construcción de la frase compleja, pensamos en efecto que la definición del sufijo no es posible más que en el ámbito limitado de la palabra» (12).

Efectivamente, el *morfema facultativo —antepuesto* o *pospuesto* a la base— solamente puede estudiarse en el plano del contenido del signo lingüístico y en el nivel palabra o lexía, donde creemos que se da la primera combinatoria sintáctica ya que esta unidad puede aparecer cuando varios morfemas se ponen en relación; un grupo de morfemas que puede formar parte de esta primera combinatoria es precisamente el de los *morfemas facultativos.*

Continuamos con una cita de R. Martín: «En términos distribucionales diremos de un morfema que es un sufijo:

—Si, en la palabra, precede inmediatamente a los morfemas flexivos, eventualmente reducidos al grado cero y definidos por las categorías gramaticales de las que ellos son el soporte, o a otros morfemas analizados ellos mismos como sufijos;

—Si se puede reducir al grado cero o se puede conmutar por un morfema analizado por su parte como un sufijo.

—Si, en el marco de la palabra, él o los morfemas que le preceden, llamados «base», son conmutables por otro morfema o grupo de morfemas; si no se puede aliar con ningún morfema flexional para formar él mismo una palabra» (13).

Con estas citas y consideraciones creemos dejar claro aquello que consideramos *morfema facultativo* en un estadio sincrónico.

---

(12) R. Martin, «A Propos de la Dérivation Adjetive: Quelques Notes sur la Définition du Suffixe», en *Travaux de Linguistique et de Littérature,* VIII, 1. Strasbourg, 1970, p. 161.

(13) Cfr. R. Martin, «A Propos de la ...», op. cit., p. 162.

«Sólo será verdaderamente afijo lo que esté a disposición de los sujetos para formar nuevos derivados» (14).

También hemos dejado fuera de nuestro estudio los elementos que vamos a poner a continuación, aunque aparezcan considerados como sufijos en la bibliografía que hemos consultado con vistas a este trabajo.

- *ina,* - *triz,* - *esa,* - *isa,* por considerar que no son más que *alomorfos* en distribución complementaria para marcar el género femenino en español. En el sentido más amplio son sufijos, pero no son *morfemas facultativos.*

Son variantes formales, junto con otras, del *morfema constitutivo* de femenino en español.

- *ísim* - *o,* - *érrim* - *o,* los he dejado fuera porque su función está ya perfectamente estudiada y definida; sirven para cuantificar el adjetivo, para superlativizarlo.

- *mente,* por la misma razón; es un elemento ya definido como transformador de adjetivos en adverbios.

- *ad* - *o,* - *id* - *o* no los he incluido en mi estudio cuando aparecen formando participios verbales o en el caso de que estos participios estén adjetivados, porque son *morfemas constitutivos* del verbo, no *facultativos.*

Sí he estudiado estos *morfemas* en otros casos, como en aquellos de los cuales habla E. Bourciez, al decir:

«Los sufijos participiales - *atus,* - *itus,* - *utus,* podían también unirse directamente a sustantivos y formar adjetivos que implican la posesión del simple, frecuentemente con un matiz peyorativo (*barbatus, crinitus, cornutus*)» (15).

### 2.4.2. *Hacia una clasificación metodológica de los morfemas facultativos.*

Antes de entrar de lleno en el análisis de la forma, la función y el contenido semántico de los *morfemas facultativos,* creemos conveniente establecer, en sus líneas generales, los criterios que seguiremos más adelante para clasificarlos.

---

(14) F. François, «La Descripción Lingüística», en *La Lengua.* Nueva Visión. Buenos Aires, 1973, p. 77.

(15) E. Bourciez, *Éléments de Linguistique Romane.* Klincksieck. París, 1967, p. 64.

Para una primera clasificación, la más general, el criterio que proponemos es tener en cuenta el lugar que estos elementos ocupan en la palabra con relación al lexema. En este caso solamente caben dos posibilidades; que el elemento en cuestión aparezca antes o después del lexema. *Los morfemas facultativos* están perfectamente distribuidos —al menos en español— en dos clases, tomando como punto de vista este criterio. Unos siempre aparecen en la cadena hablada *antepuestos* al lexema; formarán la clase de los *morfemas facultativos antepuestos.* Otros siempre aparecen *pospuestos* al lexema; constituirán éstos la clase de los *morfemas facultativos pospuestos.*

Sólo hemos encontrado un caso donde una misma forma puede aparecer en una ocasión antepuesta y en otra pospuesta.

Se trata de la forma ***filo*** *-; -* ***filo,*** cuya posición, con relación a la base, no es fija:

***Filo*** *- soviético; Germanó -* ***filo***

Si nosotros tenemos en cuenta la incidencia funcional del *morfema facultativo* —tanto el *antepuesto* como el *pospuesto*— en la base con la que se combina, podremos observar dos casos:

a) El *morfema facultativo* no cambia la categoría gramatical de la base:

Ejs.: *Angel -* ***ill*** *- o*

***A*** *- callar*

*Tont -* ***ac*** *- o*

En los tres ejemplos vemos que la categoría gramatical no se ha alterado por la presencia de los *morfemas facultativos -* ***ill*** *-,* ***a*** *-, -* ***ac*** *-.*

b) El *morfema facultativo* cambia la categoría gramatical del lexema:

Ejs.: ***A*** *- bland - ar*

***En*** *- amor - ar*

*Cruel -* ***dad***

En el primer ejemplo el *morfema facultativo antepuesto* ***a*** — + lexema adjetivo **>** verbo, en el que aparecerán los *morfemas constitutivos* correspondientes.

En el segundo ejemplo ocurre la misma trasformación hacia verbo por medio del *morfema facultativo antepuesto* ***en*** - y el lexema objeto del cambio de categoría ha sido aquí un sustantivo.

En el tercer ejemplo, el *morfema facultativo pospuesto* - ***dad*** combinado con un lexema adjetivo lo ha convertido en un sustantivo.

Proponemos la denominación de *no modificador de categoría* para aquel *morfema facultativo* que no cambia la categoría gramatical de la base con la que se combina, y la de *modificador de categoría* para aquél que sí la cambia.

Considerando el problema desde un punto de vista puramente formal podemos apreciar que hay elementos formales que modifican siempre la categoría de la base con la que se combinan; otros no la modifican nunca, y algunos modifican ciertas bases pero no modifican otras; éstos últimos tienen pues un doble funcionamiento, como *modificadores de categoría* en algunas combinatorias, como *no modificadores de categoría* en otras.

— (***a***/***i***) - ***ción.*** Transforma siempre bases verbales en sustantivos.

— (***c*** / ***ec*** / ***cec***) - ***ill*** - *o*/*a.* No modifica las bases con las que se combina.

— ***ad*** - *a.* Transforma bases verbales en sustantivos y bases adjetivas en sustantivos pero no modifica las bases sustantivas cuando se combina con ellas.

*Alucin* - ***ación*** : V. > S.
*Abogad* - ***ill*** - *o* : S. > S.
*Baj* - ***ad*** - *a* : V. > S.
*Bob* - ***ad*** - *a* : A. > S.
*Corazon* - ***ad*** - *a* : S. > S.

También tenemos que tener en cuenta las posibilidades combinatorias de los *morfemas facultativos.* Aquéllos que se combinan con lexemas pertenecientes a las tres categorías gramaticales de la lengua —sustantivo, adjetivo y verbo—; los que solamente lo hacen con dos clases y los que nada más se combinan con una clase.

En principio ya podemos afirmar que los del primer grupo serán todos *no modificadores de categoría.*

Acabamos de referirnos a las categorías gramaticales de entrada, de base, pero también podemos fijarnos en la clase a la que pertenece la palabra, una vez que el *morfema facultativo* ha tomado parte en su formación; de este modo podremos dividir los *morfemas facultativos* en tres grupos: los que dan origen a palabras de la clase verbal, de la nominal o de la adjetiva.

En el caso de los *no modificadores de categoría* este último criterio no constituye en realidad ninguna marca diferenciadora, puesto que allí la categoría de entrada es la misma que la de salida y, en teoría, todos pueden combinarse con las tres clases.

«Puede afirmarse, que, teóricamente, un mismo infijo se puede aplicar indistintamente a los sustantivos, a los adjetivos y a los verbos» nos dice B. Pottier (16).

Como resumen de los expuesto diremos que un *morfema facultativo* quedará definido con relación a los otros teniendo en cuenta los rasgos siguientes:

a) El lugar que ocupa en la palabra con relación al lexema.
b) Si transforma o no, en otra distinta, la categoría gramatical de la base.
c) La categoría gramatical de las bases con las que se combina.
d) La categoría gramatical a la que pertenecen las palabras a las que da lugar.
e) La oposición semántica que pueda establecerse entre él y otros *morfemas facultativos* con los cuales pueda conmutarse, teniendo como base el mismo lexema.
f) La forma por medio de la cual se manifiesta.

### 2.4.3. *Los procesos de lexicalización y gramaticalización en los morfemas facultativos.*

Seguimos lo expuesto por V. Lamíquiz para la definición general de estos procesos:

---

(16) B. Pottier, «Los Infijos Modificadores en Portugués», en *Lingüística Moderna y Filología Hispánica.* Gredos. Madrid, 1970, p. 172.

«La *lexicalización* es un proceso según el cual elementos morfofuncionales pasan a ser elementos léxico-semánticos; en consecuencia, ciertas formas lingüísticas de entera responsabilidad constructora por parte del hablante, dentro del sistema morfosintáctico de la lengua, se lexicalizan, es decir, se memorizan en una construcción léxica fija y con un valor semántico propio, eludiendo la responsabilidad constructora. La *gramaticalización* es un proceso idéntico pero de dirección exactamente opuesta. Se trata de formas léxico-semánticas, memorizadas como tales, que se hacen gramaticales convirtiéndose en útiles para la construcción morfosintáctica; quedan, así, al criterio responsable de empleo constructor por parte del hablante» (17).

En los *morfemas facultativos* podemos observar el desarrollo de ambos procesos y para ello hay que situarse en una perspectiva diacrónica ya que solamente en la historia de la lengua nos es dado poder comprobar el paso de elementos desde la infraestructura morfosintáctica a la léxico-semántica y, por otra parte, de elementos que funcionan en el léxico a la morfosintaxis.

El enfoque de nuestro trabajo es sincrónico, pero pensamos que no se puede separar en lingüística, de una manera radical, el método sincrónico del diacrónico. Una sincronía no es más que el resultado de una victoria de unos fenómenos sobre otros, después de una coexistencia más o menos larga de los diversos subsistemas en un estadio sincrónico anterior; a la larga hay un cambio continuo; unos sistemas dejan paso a otros; unos elementos desaparecen y otros pasan a ocupar su lugar. A este respecto hacemos nuestra la afirmación de H. Levicka, refiriéndose a los trabajos relativos a la formación de las palabras: «Sin embargo, la historia de la formación de las palabras de una lengua dada, estrechamente ligada a su morfosintaxis, no puede ser verdaderamente comprendida más que si es concebida como una serie de pasos sucesivos de un estado —sistema de relaciones— hacia otro» (18).

---

(17) V. Lamíquiz, *Morfosintaxis Estructural del Verbo Español.* Publicaciones de la Universidad de Sevilla. Sevilla, 1972, p. 124.

(18) H. Levicka, «Pour une Histoire Structurale de la Formation des Mots en Français», en *Actas del XI Congreso Internacional de Lingüística y Filología Románicas,* II. Consejo Superior de Investigaciones Científicas. Madrid, 1968, p. 649.

### 2.4.3.1. La lexicalización.

Cuando un *morfema facultativo* se combina con una base funciona durante un periodo de tiempo, más o menos largo, en la infraestructura morfosintáctica, con una responsabilidad de construcción por parte del hablante que lo emplea, pero llega un momento en que se incorpora a la base y se memoriza junto con ella. Ha desaparecido la responsabilidad constructora del hablante y el *morfema facultativo* ha dejado de serlo, para integrarse en el lexema y situarse, por tanto, en la infraestructura léxica.

En este proceso de lexicalización en que se encuentran inmersos los *morfemas facultativos* hay una zona con límites imprecisos que separa la Lexicología-semántica de la Morfosintaxis. Mediante un gráfico representaremos lo que acabamos de decir:

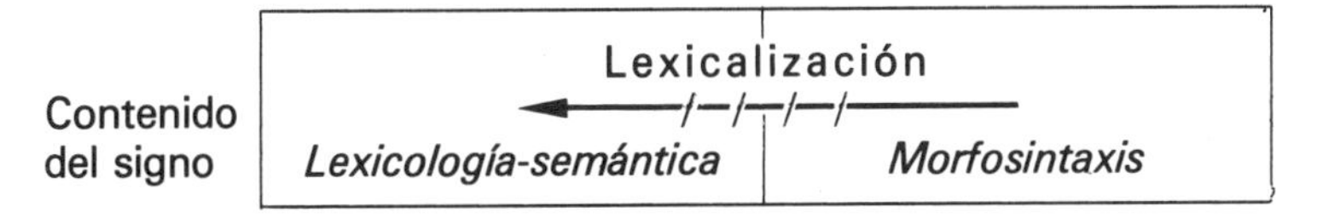


Como indicamos mediante la flecha, el proceso de lexicalización de los *morfemas facultativos* se inicia en la Morfosintaxis y desemboca en la Lexicología-semántica, con esta zona intermedia de imprecisión a uno y otro lado de la línea que separa las dos infraestructuras del plano del contenido del signo lingüístico.

Como muy bien señala J. Perrot: «La historia de un léxico se ve pues, marcada por procesos de desgramaticalización, más o menos compensados por la formación de nuevas unidades léxicas extraídas de los recursos de la lengua mediante procedimientos de derivación, es decir, mediante procedimientos de tipo gramatical» (19).

Es decir, que, cuando un *morfema facultativo* se ha integrado totalmente en el lexema, no se establece ya una relación sintáctica entre ellos, sino que constituyen una sola unidad léxica, con la que se pueden relacionar en el plano sintagmático nuevos *morfemas facultativos* en una función léxico-genésica.

(19) J. Perrot, «El léxico», en *La Lengua*. Nueva Visión. Buenos Aires, 1973, p. 118.

El proceso de lexicalización se da en una diacronía de la lengua, desde la construcción en el discurso hasta llegar a la memorización en el sistema.

Se puede tomar, como punto de referencia, para determinar el grado de lexicalización de un elemento, el *Diccionario de la Lengua Española de la R. A. E.* Aquellos casos en que la nueva lexía aparezca recogida en el DRAE se pueden considerar lexicalizados; aquellos otros en que no aparezca, no lexicalizados.

Creemos conveniente señalar, no obstante, que dentro del grupo de las lexías que se encuentran en el DRAE habrá casos donde los *morfemas facultativos* estén mucho más integrados que en otros. En algunas palabras resultará imposible un análisis por separado; es decir, el presunto *morfema facultativo* no podrá separarse de lo que en otro tiempo de la historia de la lengua fue un lexema con el que se combinó, porque en la sincronía actual ya no funcionará como *morfema facultativo* sino que formará parte del lexema; en otras palabras todavía será posible un análisis por separado y, por tanto, habrá una menor lexicalización del *morfema facultativo.*

Insistimos, nuevamente, en nuestra concepción del *morfema facultativo,* citando un texto de F. Lázaro Carreter: «partimos, pues, del principio metodológico de que un formante que ha llegado al idioma como parte de un préstamo, sólo puede ser inventariado como tal, en el idioma receptor, si existen razonables indicios de que ha funcionado como elemento de formaciones autóctonas» (20).

Pensamos que tiene que haberse combinado, al menos, con dos bases diferentes. No figurarán por tanto, en este trabajo, aquellos elementos que, a nuestro juicio, hayan entrado en el español formando parte de palabras que han sido tomadas como préstamos de otras lenguas y no han tenido ninguna productividad como formantes de nuevas palabras en español. La lexicalización en estos casos ha sido total.

Por poner un ejemplo citamos el caso del artículo árabe *al -, a -* que algún gramático ha inventariado como un prefijo, pero que, en realidad, ha entrado en nuestra lengua totalmente integrado en los préstamos tomados del árabe, y no se ha utilizado como elemento formador de nuevas lexías en español.

---

(20) F. Lázaro Carreter, «¿Consonantes Antihiáticas en Español?», en *Homenaje a Antonio Tovar.* Gredos. Madrid, 1972, p. 258.

Se pueden establecer tres grados en la lexicalización de los *morfemas facultativos:*

a) *No lexicalización:* Las lexías construidas con algunos *morfemas facultativos* no aparecen recogidas en el DRAE; la base a la que se une el *morfema facultativo* tiene un funcionamiento independiente en otros contextos, pudiendo recibir los *morfemas constitutivos* correspondientes.

Ejs.: *Content* - ***ón***
*Picar* - ***ill*** - *a*
***Ex*** - *concubina*
***Des*** - *dramatizar*

En las cuatro lexías que hemos puesto como ejemplo los *morfemas facultativos* (-***ón,*** - ***ill*** -, ***ex*** -, ***des*** -) tienen un funcionamiento totalmente gramatical, como elementos que se encuentran a disposición del hablante para que pueda realizar nuevas construcciones sintácticas con otras bases, con vistas a la generación de nuevas unidades léxicas.

Este grado a) podemos decir que constituye el primer paso en el proceso de lexicalización.

b) *Lexicalización media:* El *morfema facultativo* aparece en el DRAE unido a la base con la que se ha combinado, pero, en el discurso, el lexema base todavía puede funcionar él solo, sin el *morfema facultativo,* aunque reciba los *morfemas constitutivos.*

Ejs.: *Bland* - ***ur*** - *a*
*Brom* - ***ista***
***Re*** - *buscar*
***Sobre*** - *coger*

En las cuatro lexías se puede prescindir del *morfema facultativo* (- ***ur*** -, - ***ista, re*** -, ***sobre*** -) y las bases pueden funcionar por sí solas, con los *morfemas constitutivos* correspondientes.

Mientras que el grado a) de lexicalización estaría situado en la infraestructura morfosintáctica, el grado b) estaría situado en esa zona confusa, límite entre lo gramatical y lo léxico.

c) *Lexicalización total:* El *morfema facultativo* y la base con la que se ha combinado forman un todo inseparable, inanalizable en partes. La base no tiene independencia para poder funcionar sola o con los *morfemas constitutivos* en el discurso.

Ejs.: ***Re*** - *cibir*
***Con*** - *ducir*
***Ex*** - *plicar*

En estos ejemplos (*re -, con -, ex -*) no podrían ser analizados como *morfemas facultativos* y su función es puramente distintiva a nivel de lexemas; es decir, habrá en español un lexema /*recib -*/ que se opone a un lexema /*percib -*/, donde /*re -*/ y /*per -*/ son los elementos formales distintivos.

Igual podemos afirmar de los lexemas: /*conduc -*/, /*reduc -*/, /*induc -*/, /*aduc -*/, /*deduc -*/, donde los elementos formales distintivos son: /*con -*/, /*re -*/, /*in -*/, /*a -*/, /*de -*/.

La misma oposición formal distintiva podemos observar en: /*explic -*/, /*complic -*/, /*replic -*/, /*aplic -*/, /*implic -*/; aquí los elementos formales distintivos son: /*ex -*/, /*com -*/, /*re -*/, /*a -*/, /*im -*/. En todos los casos que hemos citado le lexicalización es total.

Pensamos que en este grado c) ya no se puede hablar de *morfemas facultativos* puesto que no funcionan como tales aunque conserven sus mismas formas. Tal vez fuera mejor considerar estos elementos como unidades formales constituidas por más de un fonema en la mayoría de los casos pero, cuya función, al ser meramente distintiva, estaría situada en la fonología.

Representamos el proceso de lexicalización en los tres grados descritos de la manera siguiente:

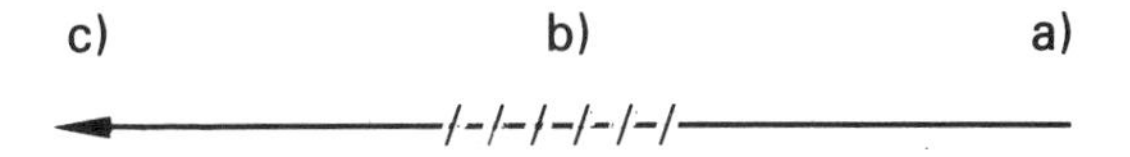


| *Integración total.* | *Integración media.* | *Falta de integración.* |
|---|---|---|
| *Falta de responsabilidad constructora y de libertad de combinación para el hablante.* | *Escasa responsabilidad constructora y escasa libertad de combinación para el hablante.* | *Máxima responsabilidad constructora y libertad de combinación para el hablante.* |

En teoría, todos los *morfemas facultativos* podrán encontrarse en construcciones pertenecientes a los tres grados descritos.

Podemos formular un principio general en relación con el proceso de lexicalización de los *morfemas facultativos:* El rendimiento funcional de un *morfema facultativo* está en proporción inversa a su grado de lexicalización.

A medida que se va integrando en un número mayor de bases, su posibilidad de combinación con otras nuevas disminuye, llegando en algunos casos a perder de una manera total su condición de *morfema facultativo.*

2.4.3.2. La gramaticalización.

Este proceso, en el tema que estamos tratando, consiste en que ciertos elementos que, en su día, tuvieron un funcionamiento léxico-semántico como unidades independientes, lo han ido perdiendo progresivamente hasta quedar convertidos en *morfemas facultativos,* con lo cual quedan situados en la infraestructura morfosintáctica.

Mediante un gráfico el proceso aparecería representado de esta forma:

| Contenido del signo | *Lexicología-semántica*<br>——————/-/-/-/——▶<br>Gramaticalización | *Morfosintaxis* |
|---|---|---|

La flecha nos indica el paso desde la Lexicología-semántica a la Morfosintaxis, con una zona intermedia confusa, que representa los límites entre una y otra.

También aquí se pueden distinguir, lo mismo que hemos hecho al hablar de la lexicalización (cfr. 2.4.3.1.), tres momentos o grados diferentes.

a) *No gramaticalización:* La unidad en cuestión es una lexía independiente, con una autonomía morfofuncional y semántica, a la que sólo impone restricciones la combinatoria sintáctica con otras unidades.

b) *Gramaticalización media:* Estamos en este grado cuando ciertas unidades léxicas dejan de comportarse como independientes y autónomas en todos los contextos para pasar a formar con otras, en determinadas combinatorias, una sola unidad morfofuncional en la que se da además una amalgama semántica, como producto de los valores semánticos de las unidades que la componen.

   Nos encontramos ante lo que se ha llamado composición de palabras. Los gramáticos hablan también de composición para aquellos casos en que intervienen en la formación de la nueva palabra un *morfema facultativo antepuesto* y una lexía ya existente en el sistema de la lengua.

   Creemos que el término composición debe ser aplicado solamente a aquellos casos de léxico-génesis en que los elementos generadores de la nueva lexía tengan todavía una independencia léxico-semántica en otros contextos. En los demás casos creemos que se debe hablar de derivación, porque uno de los elementos que actúan en esta léxico-génesis está totalmente gramaticalizado.

c) *Gramaticalización total:* Si el proceso explicado en el apartado b) continúa desarrollándose tanto que llega un momento en que una de las unidades que entran en la composición deja de tener autonomía morfofuncional y semántica para convertirse en un elemento que haga aparecer nuevas lexías, combinándose con otras ya existentes, la unidad en cuestión habrá sufrido una gramaticalización total y se habrá convertido en un *morfema facultativo* con la función de generar unidades léxicas de segunda visión.

Creemos conveniente poner algún ejemplo para mayor claridad en lo que acabamos de exponer sobre el proceso de gramaticalización.

Para ello vamos a tomar como muestra dos elementos que en la sincronía actual del español funcionan como *morfemas facultativos;* uno *antepuesto* al lexema: ***neo*** - y otro *pospuesto* - ***ólog*** - *o/a.*

Está claro que estos elementos se encuentran hoy en el grado c) de gramaticalización, es decir, totalmente gramaticalizados, porque ninguno de ellos tiene autonomía morfofuncional y semántica fuera de la lexía donde están insertados.

Ejs.: ***Neo*** - *colonial*
*Cancer* - ***ólog*** - *o*

Pero, por otra parte, también sabemos que estos elementos, en otros tiempos, sí tuvieron esa autonomía morfofuncional y semántica propia del grado a), es decir, de no gramaticalización, de un funcionamiento como lexías independientes.

Nos estamos refiriendo a estadios sincrónicos del griego, donde el elemento *néos* > ***neo*** - pertenecía a la clase de los adjetivos y el elemento *logos* > - ***ólog*** - *o/a,* a la clase de los sustantivos.

Hay otros *morfemas facultativos* en los que podemos observar este mismo proceso de gramaticalización: ***bio*** -, - ***oide,*** etc....

El elemento *-mente,* transformador de adjetivos en adverbios, es un caso de gramaticalización en grado b).

Ahora bien, en la mayoría de los *morfemas facultativos:* ***re*** -, ***de*** -, - ***al,*** - ***or,*** etc., etc., no podemos explicar, como lo hemos hecho con los anteriores, este proceso de gramaticalización.

Lo más que podemos constatar es que se hallan en el último grado, en el grado c) y además se hallan en él desde los testimonios más antiguos que poseemos de las lenguas indoeuropeas. No hay ningún ejemplo, o, al menos, nosotros lo desconocemos, donde se pueda ver que estos elementos tenían un funcionamiento en el grado b) y mucho menos en el a) de este proceso de gramaticalización.

Solamente podemos apuntar, como una hipótesis, la posibilidad de que algunos de estos elementos fueran, en un momento dado, formas con su correspondiente valor semántico, que fueron perdiendo progresivamente en una gramaticalización continuada hasta llegar a la situación en que nos los encontramos nosotros: funcionando como elementos puramente gramaticales. Otros pueden tener otros orígenes, como alargamientos, etc., hasta llegar a la morfologización o gramaticalización posterior.

Nos limitamos a señalar estas cuestiones, sin entrar en ellas, porque el objetivo central de este trabajo es el análisis del funcionamiento de estos elementos en la sincronía del español de hoy.

Refiriéndose a otros elementos gramaticales, a los *morfemas constitutivos,* dice el profesor F. Rodríguez Adrados: «Es fácil, siguiendo por este camino, establecer en la práctica y en el detalle aquello que, de manera vaga y general, se había formulado a veces; que el indoeuropeo en un principio no tuvo flexión verbal ni nominal. El orden de palabras, junto con los adverbios, partículas y pronombres y el mismo contexto de la frase eran suficientes para relacionar entre sí las palabras fundamentales. A través de diversas etapas, han ido desarrollándose un sistema verbal y otro nominal, mediante la creación de oposiciones que expresan las nacientes categorías gramaticales; estos sistemas se desarrollan y evolucionan luego» (21).

Pensamos que este proceso, al que hace referencia la cita que acabamos de dar, se inicia, en la evolución lingüística, antes que el que nosotros estamos estudiando.

Dicho con otras palabras, creemos que la aparición y estructuración gramatical de los *morfemas constitutivos* —los que organizan la flexión verbal y nominal—, es anterior a la de los *morfemas facultativos.*

---

(21) F. Rodríguez Adrados, *Estudios de Lingüística General.* Planeta. Barcelona, 1969, pp. 223-224.

## 3. EL PROBLEMA DEL INTERFIJO

En el análisis formal de la lexía, al segmentarla en los *morfemas* que la componen, nos encontramos, a veces, en español, y en otras lenguas con un elemento formal intercalado entre el lexema y un *morfema facultativo,* sobre cuya función, hasta el momento, no se ha dado una explicación satisfactoria. Ya hemos señalado la definición de Y. Malkiel (cfr. 2.3.) para este elemento.

Después de un enfoque histórico del problema y a la hora de clasificar estos elementos desde el punto de vista estructural sincrónico, el propio Y. Malkiel reconoce las dificultades que esto plantea: «El teórico que se inclina a aceptar como dogma el que cualquier morfema, por definición, debe tener una función bien delimitada, rechazará sin vacilación nuestra categoría de interfijo que representa un elemento falto de valor semántico o gramatical autónomo» (22).

Pero en su intento de defender la existencia del interfijo y para poderlo clasificar como morfema dice lo siguiente: «¿No resultaría más práctico transigir con la definición rígida del morfema, aplicando tal término no sólo a la unidad mínima (gramatical, o léxica y gramatical, según la tendencia de cada escuela estructuralista) cargada de significado propio, sino también al segmento de una palabra semánticamente vacío y gramaticalmente las más veces inactivo que queda después de restados todos los otros morfemas? Se podría reservar el uso de «morfema residual» o «morfema marginal» para esta categoría subordinada y bastante excepcional de elemento lingüístico» (23).

---

(22) Cfr. Y. Malkiel, «Los Interfijos...», op. cit., p. 177.

(23) Cfr. Y. Makiel, «Los Interfijos...», op. cit., pp. 184-185.

Pensamos que no es este el lugar para una exposición detallada de los estudios y opiniones que se han dado sobre estos elementos. Simplemente nos limitamos a citar algunos trabajos —los que consideramos más importantes sobre esta cuestión— y a ellos remitimos al lector interesado.

Pueden consultarse, además del ya citado de Y. Malkiel, los trabajos de F. Lázaro Carreter (24), B. Pottier (25), E. Nañez Fernández (26) y E. Martínez Celdrán (27).

## 3.1. NUESTRO ENFOQUE DEL PROBLEMA.

Está claro que, si nos situamos en una perspectiva histórica, a la hora de segmentar la lexía en sus componentes morfológicos, no nos queda otra solución que reconocer la existencia, en algunos casos, de ese segmento formal que aparece insertado entre el *morfema facultativo antepuesto* y el lexema, o entre el lexema y el *morfema facultativo pospuesto.*

Pero en lingüística podemos adoptar, metodológicamente, otro punto de vista en el análisis morfológico de la lexía: el punto de vista sincrónico, prescindiendo por completo de estadios evolutivos previos. Situándose aquí, solamente quedan, para nosotros, dos opciones en la segmentación morfológica de la lexía.

Explicaremos nuestra afirmación sobre un ejemplo:

*Pueblecillo*

Si nos decidimos por la opción a), la segmentación formal de la lexía será la siguiente:

| | | |
|---|---|---|
| *puebl* - | : | lexema |
| - ***ecill*** - | : | morfema facultativo pospuesto |
| - *o* | : | morfema constitutivo de género. |

(24) F. Lázaro Carreter, «¿Consonantes Antihiáticas en Español?», en *Homenaje a An Tonio Tovar.* Gredos. Madrid, 1972.

(25) B. Pottier, *Introduction à l'Étude de la Morphosynthaxe Espagnole.* París, 196

(26) E. Nañez Fernández, *El Díminutivo. Historia y Funciones en el Español Clásico Moderno.* Gredos. Madrid, 1973.

(27) E. Martínez Celdrán, «A Propósito de las Leyes Diacrónicas de Evolución y la Sincrónicas de Formación», en *Revista Española de Lingüística,* 4, 1, 1974, pp. 17 195.

Si optamos por la posibilidad b), la segmentación será de esta forma:

*pueblec* - : lexema
- ***ill*** - : morfema facultativo pospuesto
- *o* : morfema constitutivo de género.

En el caso a) tendremos que aumentar el número de *morfemas facultativos* o bien considerar que hay variantes formales dentro del mismo *morfema facultativo.* Nosotros nos decidimos por lo segundo puesto que no hemos observado que existan diferencias de funcionamiento entre - ***ill*** *-,* - ***ecill*** *-,* a nivel de lengua que es donde nos situamos para nuestro trabajo.

En el caso b) las variantes formales aparecen en el lexema. Volviendo al ejemplo citado anteriormente, tendríamos dos variantes formales léxicas para un mismo contenido semántico:

*puebl* -
*pueblec* -

Prescindimos aquí de otras variantes léxicas que puedan corresponder al mismo contenido semántico, como *popul* - en *popul* - ***ar,*** puesto que no pertenece a nuestro objetivo la determinación de las variantes léxicas que manifiestan en español, en estructura superficial, un mismo contenido de la estructura profúnda.

Tanto la fórmula a) como la b) nos parecen adecuadas, situados en el plano del contenido del signo lingüístico y en una sincronía estricta, para llegar a la segmentación de la lexía en sus componentes.

Cabe apuntar, para el problema que estamos estudiando, otra solución a la que llamaremos c).

Si, como señala Y. Malkiel, el interfijo sirve para evitar la homonimia, actuar de enlace entre un radical y ciertos sufijos, etc...., está desempeñando una función, si entendemos por ella, la relación que liga una unidad con las demás unidades lingüísticas, pero esta función, a nuestro juicio, no parece estar situada de una manera directa en el plano del contenido; más bien hay que situarla en el plano fonológico, con lo cual el interfijo —si se admite su existencia— debe ser estudiado por la fonología o por la morfonología, tal y como afirma E. Martínez

Celdrán: «Por lo tanto no diremos que el interfijo sea una unidad morfológica, pero sí morfofonémica» (28).

Esta tercera solución serviría para completar y precisar la solución a).

Se trataría siempre del mismo *morfema facultativo,* que, en determinados contextos fonéticos, se uniría directamente al lexema, y, en otros, lo haría a través de un elemento fónico de enlace que sería el interfijo, pero considerado ya, en esta segmentación formal, no con valor morfológico, es decir como un *morfema,* sino con valor morfofonémico.

Situados en sincronía y a nivel total de signo lingüístico, la unión de las opciones a), c) nos parece el método más adecuado para el análisis de los componentes de la lexía, prescindiendo de diferencias que puedan producirse en el discurso y teniendo solamente en cuenta valores de lengua.

(28) Cfr. E. Martínez Celdrán, «A Propósito de las Leyes...», op. cit., p. 189.

## 4. SISTEMATIZACIÓN LINGÜÍSTICA DE LOS MORFEMAS FACULTATIVOS

Pensamos que, para un estudio de los *morfemas facultativos,* si no queremos salirnos del campo puramente lingüístico, solamente podemos tener en cuenta los rasgos siguientes:

a) Su distribución con relación al lexema base con el que se combinan.

b) Si modifican o no la categoría gramatical de la base con la que se combinan.

c) Clase gramatical a la que pertenece la base con la que se combinan.

d) Clase gramatical a la que pertenece la lexía a la que dan lugar.

e) Las oposiciones que puedan establecerse entre ellos en virtud de una conmutación paradigmática.

f) La forma por medio de la cual se manifiestan.

Es posible que alguna forma se haya escapado a nuestra consideración pero pensamos que de alguna manera quedaría incluída dentro de nuestra teoría general.

Los alomorfos provocados por evolución fonética solemos ponerlos juntos a la hora de establecer los rasgos. Igualmente se suele citar un solo ejemplo de cada grupo de estos alomorfos al estudiar los *morfemas.* Aunque nosotros vamos a estudiar los *morfemas facultativos* teniendo en cuenta su combinatoria con sustantivos, adjetivos y verbos, habrá casos en que un mismo *morfema* se combinará con más de una clase gramatical.

Solamente por cuestiones metodológicas establecemos esta separación, teniendo en cuenta que tal *morfema* de adjetivo será, por ejemplo, el mismo que tal otro de sustantivo siempre que sus rasgos coincidan y aporten a la base la misma noción semántica.

Teniendo esto en cuenta, procedemos a dicho estudio, comenzando por los *morfemas facultativos antepuestos.*

## 4.1. LOS MORFEMAS FACULTATIVOS ANTEPUESTOS.

Por medio de una matriz señalamos los rasgos correspondientes a cada una de las formas para pasar a continuación a una agrupación formal en torno a unidades de funcionamiento y a señalar la orientación semántica que cada uno de los *morfemas facultativos antepuestos* da a la base con la que se ha combinado para originar nuevas palabras.

| Rasgos / Formas | Modifica la categoría de la base | No modifica la categoría de la base | Se combina con base nominal | Se combina con base adjetiva | Se combina con base verbal | Da lugar a un sustantivo | Da lugar a un adjetivo | Da lugar a un verbo |
|---|---|---|---|---|---|---|---|---|
| ***a-*$^{1}$, *ad-*$^{1}$** | + | — | + | — | — | — | — | + |
| ***a-*$^{2}$, *ad-*$^{2}$** | + | — | — | + | — | — | — | + |
| ***a-*$^{3}$, *ad-*$^{3}$** | — | + | — | — | + | — | — | + |
| ***a-*$^{4}$, *an-*** | — | + | — | + | — | — | + | — |
| ***ab-*, *abs-*** | — | + | — | — | + | — | — | + |
| ***ante-*$^{1}$** | — | + | + | — | — | + | — | — |
| ***ante-*$^{2}$** | — | + | — | + | — | — | + | — |
| ***ante-*$^{3}$, *anti-*$^{1}$** | — | + | — | — | + | — | — | + |
| ***anti-*$^{2}$** | — | + | + | — | — | + | — | — |
| ***anti-*$^{3}$** | — | + | — | + | — | — | + | — |
| ***arce-*$^{1}$, *arci-*$^{1}$, *arc-*$^{1}$, *arz-*$^{1}$** | — | + | + | — | — | + | — | — |
| ***arque-*$^{1}$, *arqui-*$^{1}$, *archi-*$^{1}$** | — | + | + | — | — | + | — | — |
| ***arce-*$^{2}$, *arci-*$^{2}$. *arc-*$^{2}$, *arz-*$^{2}$** | — | + | — | + | — | — | + | — |
| ***arque-*$^{2}$, *arqui-*$^{2}$, *archi-*$^{2}$** | — | + | — | + | — | — | + | — |
| ***auto-*$^{1}$** | — | + | + | — | — | + | — | — |
| ***auto-*$^{2}$** | — | + | — | + | — | — | + | — |
| ***auto-*$^{3}$** | — | + | — | — | + | — | — | + |
| ***bi-*$^{1}$, *bis-*$^{1}$, *biz-*$^{1}$** | — | + | + | — | — | + | — | — |
| ***bi-*$^{2}$, *bis-*$^{2}$, *biz-*$^{2}$** | — | + | — | + | — | — | + | — |
| ***bio-*** | — | + | + | — | — | + | — | — |
| ***circum-*$^{1}$, *circun-*$^{1}$** | — | + | — | + | — | — | + | — |

| Rasgos / Formas | Modifica la categoría de la base | No modifica la categoría de la base | Se combina con base nominal | Se combina con base adjetiva | Se combina con base verbal | Da lugar a un sustantivo | Da lugar a un adjetivo | Da lugar a un verbo |
|---|---|---|---|---|---|---|---|---|
| ***circu-***$^{1}$ | — | + | — | + | — | — | + | — |
| ***circum-***$^{2}$, ***circun-***$^{2}$ | — | + | — | — | + | — | — | + |
| ***circu-***$^{2}$ | — | + | — | — | + | — | — | + |
| ***cis-***$^{1}$ | — | + | + | — | — | + | — | — |
| ***cis-***$^{2}$, ***citra-*** | — | + | — | + | — | — | + | — |
| ***com-***$^{1}$, ***con-***$^{1}$, ***co-***$^{1}$ | + | — | + | — | — | — | — | + |
| ***com-***$^{2}$, ***con-***$^{2}$, ***co-***$^{2}$ | + | — | — | + | — | — | — | + |
| ***com-***$^{3}$, ***con-***$^{3}$, ***co-***$^{3}$ | — | + | + | — | — | + | — | — |
| ***com-***$^{4}$, ***con-***$^{4}$, ***co-***$^{4}$ | — | + | — | + | — | — | + | — |
| ***com-***$^{5}$, ***con-***$^{5}$, ***co-***$^{5}$ | — | + | — | — | + | — | — | + |
| ***contra-***$^{1}$ | — | + | + | — | — | + | — | — |
| ***contra-***$^{2}$ | — | + | — | + | — | — | + | — |
| ***contra-***$^{3}$ | — | + | — | — | + | — | — | + |
| ***de-***$^{1}$, ***des-***$^{1}$, ***di-***$^{1}$, ***dis-***$^{1}$ | + | — | + | — | — | — | — | + |
| ***de-***$^{2}$, ***des-***$^{2}$, ***di-***$^{2}$, ***dis-***$^{2}$ | + | — | — | + | — | — | — | + |
| ***de-***$^{3}$, ***des-***$^{3}$, ***di-***$^{3}$, ***dis-***$^{3}$ | — | + | + | — | — | + | — | — |
| ***de-***$^{4}$, ***des-***$^{4}$, ***di-***$^{4}$, ***dis-***$^{4}$ | — | + | — | + | — | — | + | — |
| ***de-***$^{5}$, ***des-***$^{5}$, ***di-***$^{5}$, ***dis-***$^{5}$ | — | + | — | — | + | — | — | + |
| ***de-***$^{6}$, ***des-***$^{6}$, ***di-***$^{6}$, ***dis-***$^{6}$ | — | + | — | — | + | — | — | + |
| ***deca-*** | — | + | + | — | — | + | — | — |
| ***di-***$^{7}$, ***dis-***$^{7}$ | — | + | + | — | — | + | — | — |

| | | | | | | | | |
|---|---|---|---|---|---|---|---|---|
| ***endo***[2] | — | + | — | + | — | — | + | — |
| ***entre***[1], ***inter***[1] | — | + | + | — | — | + | — | — |
| ***entre***[2], ***inter***[2] | — | + | — | + | — | — | + | — |
| ***entre***[3], ***inter***[3] | — | + | — | — | + | — | — | + |
| ***entro-, intro-*** | — | + | — | — | + | — | — | + |
| ***epi-*** | — | + | + | — | — | + | — | — |
| ***equi***[1] | — | + | + | — | — | + | — | — |
| ***equi***[2] | — | + | — | — | + | — | — | + |
| ***ex***[1], ***es***[1], ***e***[1] | + | — | + | — | — | — | — | + |
| ***ex***[2], ***es***[2], ***e***[2] | + | — | — | + | — | — | — | + |
| ***ex***[3] | — | + | + | — | — | + | — | — |
| ***ex***[4] | — | + | — | + | — | — | + | — |
| ***ex***[5], ***es***[3], ***e***[3] | — | + | — | — | + | — | — | + |
| ***exo***[1] | — | + | + | — | — | + | — | — |
| ***exo***[2] | — | + | — | + | — | — | + | — |
| ***extra***[1] | + | — | + | — | — | — | — | + |
| ***extra***[2] | — | + | — | + | — | — | + | — |
| ***foto***[1] | — | + | + | — | — | + | — | — |
| ***foto***[2] | — | + | — | + | — | — | + | — |
| ***gastro***[1] | — | + | + | — | — | + | — | — |
| ***gastro***[2] | — | + | — | + | — | — | + | — |
| ***geo***[1] | — | + | + | — | — | + | — | — |
| ***geo***[2] | — | + | — | + | — | — | + | — |
| ***hecto-*** | — | + | + | — | — | + | — | — |
| ***helio***[1] | — | + | + | — | — | + | — | — |

| Rasgos / Formas | Modifica la categoría de la base | No modifica la categoría de la base | Se combina con base nominal | Se combina con base adjetiva | Se combina con base verbal | Da lugar a un sustantivo | Da lugar a un adjetivo | Da lugar a un verbo |
|---|---|---|---|---|---|---|---|---|
| ***helio²-*** | — | + | — | + | — | — | + | — |
| ***hidro¹-*** | — | + | + | — | — | + | — | — |
| ***hidro²-*** | — | + | — | + | — | — | + | — |
| ***hiper¹-*** | — | + | + | — | — | + | — | — |
| ***hiper²-*** | — | + | — | + | — | — | + | — |
| ***hipo¹-*** | — | + | + | — | — | + | — | — |
| ***hipo²-*** | — | + | — | + | — | — | + | — |
| ***in⁴-, im⁴-, i⁴-*** | — | + | + | — | — | + | — | — |
| ***in⁵-, im⁵-, i⁵-*** | — | + | — | + | — | — | + | — |
| ***in⁶-, im⁶-, i⁶-*** | — | + | — | — | + | — | — | + |
| ***infra¹-*** | — | + | + | — | — | + | — | — |
| ***infra²-*** | — | + | — | + | — | — | + | — |
| ***intra¹-*** | — | + | + | — | — | + | — | — |
| ***intra²-*** | — | + | — | + | — | — | + | — |
| ***kilo-, kili-, quilo-, quili-*** | — | + | + | — | — | + | — | — |
| ***macro-*** | — | + | + | — | — | + | — | — |
| ***maxi-*** | — | + | + | — | — | + | — | — |
| ***mega-, megalo-*** | — | + | + | — | — | + | — | — |
| ***meta-*** | — | + | + | — | — | + | — | — |
| ***micro-*** | — | + | + | — | — | + | — | — |
| ***mini-*** | — | + | + | — | — | + | — | — |
| ***miria-*** | — | + | + | — | — | + | — | — |

| | | | | | | | | |
|---|---|---|---|---|---|---|---|---|
| *neo-*$^{1}$ | – | + | + | – | – | + | – | – |
| *neo-*$^{2}$ | – | + | – | + | – | – | + | – |
| *ob-, o-* | – | + | – | – | + | – | – | + |
| *omni-*$^{1}$ | – | + | + | – | – | + | – | – |
| *omni-*$^{2}$ | – | + | – | + | – | – | + | – |
| *paleo-*$^{1}$ | – | + | + | – | – | + | – | – |
| *paleo-*$^{2}$ | – | + | – | + | – | – | + | – |
| *pan-*$^{1}$*, pant-*$^{1}$ | – | + | + | – | – | + | – | – |
| *pan-*$^{2}$*, pant-*$^{2}$ | – | + | – | + | – | – | + | – |
| *para-*$^{1}$ | – | + | + | – | – | + | – | – |
| *para-*$^{2}$ | – | + | – | + | – | – | + | – |
| *per-*$^{1}$ | – | + | + | – | – | + | – | – |
| *per-*$^{2}$ | – | + | – | + | – | – | + | – |
| *per-*$^{3}$ | – | + | – | – | + | – | – | + |
| *pluri-*$^{1}$ | – | + | + | – | – | + | – | – |
| *pluri-*$^{2}$ | – | + | – | + | – | – | + | – |
| *poli-* | – | + | + | – | – | + | – | – |
| *pos-*$^{1}$*, post-*$^{1}$ | – | + | + | – | – | + | – | – |
| *pos-*$^{2}$*, post-*$^{2}$ | – | + | – | + | – | – | + | – |
| *pos-*$^{3}$*, post-*$^{3}$ | – | + | – | – | + | – | – | + |
| *pre-*$^{1}$ | – | + | + | – | – | + | – | – |
| *pre-*$^{2}$ | – | + | – | + | – | – | + | – |
| *pre-*$^{3}$ | – | + | – | – | + | – | – | + |
| *pro-*$^{1}$ | – | + | – | + | – | – | + | – |
| *pro-*$^{2}$ | – | + | – | – | + | – | – | + |
| *proto-*$^{1}$ | – | + | + | – | – | + | – | – |
| *proto-*$^{2}$ | – | + | – | + | – | – | + | – |

| Rasgos / Formas | Modifica la categoría de la base | No modifica la categoría de la base | Se combina con base nominal | Se combina con base adjetiva | Se combina con base verbal | Da lugar a un sustantivo | Da lugar a un adjetivo | Da lugar a un verbo |
|---|---|---|---|---|---|---|---|---|
| ***psico***$^{1}$ | — | + | + | — | — | + | — | — |
| ***psico***$^{2}$ | — | + | — | + | — | — | + | — |
| ***re***$^{1}$ | + | — | + | — | — | — | — | + |
| ***re***$^{2}$ | + | — | — | + | — | — | — | + |
| ***re- (te / quete)***$^{3}$ | — | + | + | — | — | + | — | — |
| ***re- (te / quete)***$^{4}$ | — | + | — | + | — | — | + | — |
| ***re- (te / quete)***$^{5}$ | — | + | — | — | + | — | — | + |
| ***reta-*** | — | + | + | — | — | + | — | — |
| ***retro***$^{1}$ | — | + | + | — | — | + | — | — |
| ***retro***$^{2}$ | — | + | — | — | + | — | — | + |
| ***semi***$^{1}$ | — | + | + | — | — | + | — | — |
| ***semi***$^{2}$ | — | + | — | + | — | — | + | — |
| ***sesqui-*** | — | + | + | — | — | + | — | — |
| ***seudo***$^{1}$ | — | + | + | — | — | + | — | — |
| ***seudo***$^{2}$ | — | + | — | + | — | — | + | — |
| ***sin-*** | — | + | + | — | — | + | — | — |
| ***sobre***$^{1}$, ***super***$^{1}$, ***supra***$^{1}$ | — | + | + | — | — | + | — | — |
| ***sobre***$^{2}$, ***super***$^{2}$, ***supra***$^{2}$ | — | + | — | + | — | — | + | — |
| ***sobre***$^{3}$, ***super***$^{3}$, ***supra***$^{3}$ | — | + | — | — | + | — | — | + |
| ***sota-, soto-*** | — | + | + | — | — | + | — | — |
| ***sub***$^{1}$, ***su***$^{1}$, ***sus***$^{1}$, ***so***$^{1}$, ***son***$^{1}$ | — | + | + | — | — | + | — | — |
| ***sor***$^{1}$, ***sos***$^{1}$, ***sa***$^{1}$, ***za***$^{1}$ | — | + | + | — | — | + | — | — |

| | | | | | | | | |
|---|---|---|---|---|---|---|---|---|
| *sub$^{3}$, su$^{3}$, sus$^{3}$, so$^{3}$, son$^{3}$* | — | + | — | — | + | — | — | + |
| *sor$^{3}$, sos$^{3}$, sa$^{3}$, za$^{3}$* | — | + | — | — | + | — | — | + |
| *cha$^{3}$, zam$^{3}$* | — | + | — | — | + | — | — | + |
| *tatara$^{1}$* | — | + | + | — | — | + | — | — |
| *tatara$^{2}$* | — | + | — | + | — | — | + | — |
| *tele$^{1}$* | — | + | + | — | — | + | — | — |
| *tele$^{2}$* | — | + | — | — | + | — | — | + |
| *trans$^{1}$, tras$^{1}$* | + | — | + | — | — | — | — | + |
| *trans$^{2}$, tras$^{2}$* | — | + | + | — | — | + | — | — |
| *trans$^{3}$, tras$^{3}$* | — | + | — | + | — | — | + | — |
| *trans$^{4}$, tras$^{4}$* | — | + | — | — | + | — | — | + |
| *tri$^{1}$* | — | + | + | — | — | + | — | — |
| *tri$^{2}$* | — | + | — | + | — | — | + | — |
| *tri$^{3}$* | — | + | — | — | + | — | — | + |
| *ultra$^{1}$* | — | + | + | — | — | + | — | — |
| *ultra$^{2}$* | — | + | — | + | — | — | + | — |
| *vi-, vice-, viz-, viso-* | — | + | + | — | — | + | — | — |

### 4.1.1. *Agrupación formal y resultados funcionales.*

Partimos de la afirmación de J. Lyons, quien dice: «Cabe tratar un nuevo specto a propósito del tipo de relación que se establece entre morfemas y morfos. Ocurre con frecuencia que un determinado morfema no se representa siempre por medio del mismo morfo, sino por diferentes morfos en distintos contornos. Las representaciones alternativas de un mismo morfema se denominan *alomorfos»*...

«Si en algunas lenguas cada morfema por lo general se representa por medio de un segmento cuya forma fonológica es constante, en otras lenguas ciertos morfemas se representan por un conjunto de morfos alternantes (alomorfos), cuya selección en contornos particulares puede estar condicionada por factores fonológicos o gramaticales» (29).

Nosotros pretendemos reunir las distintas variantes formales en torno a las diferentes unidades de contenido o *morfemas* de los que los *alomorfos* son formas de expresión.

Pueden darse dos casos, según las palabras de J. Lyons citadas anteriormente:

*Morfema 1* ........ *Morfo a*

*Morfema 2* ........ [ *Morfo b* / *Morfo c* / *Morfo d* / *Morfo n* ] ......... *Alomorfos*

Como el *morfema* es una unidad de contenido lo representaremos por un número romano, al que corresponderán los *morfos* o *alomorfos* como expresiones formales de dicho *morfema.* En el caso de los *alomorfos* de un *morfema* incluiremos no sólo las distintas formas que en el proceso diacrónico se han ido desgajando de una primitiva por motivos de fonética sintáctica, sino también aquellas otras que han confluido funcionalmente hasta desempeñar la misma función en sincronía actual y dar la misma orientación a la base, aunque en su origen tuvieran una procedencia diferente.

---

(29) J. Lyons, *Introducción en la Lingüística Teórica.* Teide. Barcelona, 1973, pp. 190, 192.

En el caso de los *morfemas facultativos antepuestos* siempre se añade una noción semántica al contenido de la base. Además de esto se puede o no producir el cambio de categoría gramatical de dicha base.

4.1.1.1. En los morfemas modificadores de categoría.

4.1.1.1.1. Los que combinados con base nominal > verbo.

Nos ocupamos en primer lugar de aquellos *morfemas facultativos* que se combinan con bases nominales y dan lugar a verbos.

Combinados con base nominal, empujan la sustancia semántica de ésta a verbo, para lo cual toma los *morfemas constitutivos* de la nueva categoría.

*Morfema facultativo* (*I*)

| *Alomorfos:* | Ejs.: |
|---|---|
| ***a-***$^{1}$, ***ad-***$^{1}$ | ***A*** - *horc* - *ar* |
| ***en-***$^{1}$, ***em-***$^{1}$, ***in-***$^{1}$, ***im-***$^{1}$, ***i-***$^{1}$ | ***En*** - *caprich* - *ar* |
| ***re-***$^{1}$ | ***Re*** - *patri* - *ar* |

Este *morfema* confiere al contenido de la base la orientación semántica siguiente: *expresar el movimiento hacia un límite; ese límite es el contenido semántico de la base nominal con la que se ha combinado.*

Expresado de una manera gráfica:

*Morfema facultativo* (*I*) ⟶ *base nominal*

*Morfema facultativo* (*II*)

| *Alomorfos:* | Ej.: |
|---|---|
| ***con-***$^{1}$, ***com-***$^{1}$, ***co-***$^{1}$ | ***Con*** - *geni* - *ar* |

Se trata en este caso de simples variantes formales condicionadas por el contexto fonético.

Este *morfema* indica que *participa más de un actante en el contenido semántico del lexema base.*

*Morfema facultativo (III)*

| *Alomorfos:* | Ejs.: |
| --- | --- |
| ***de***$^1$, ***des***$^1$, ***di***$^1$, ***dis***$^1$ | ***Des*** *- plum - ar* |
| ***ex***$^1$, ***es-***, ***e***$^1$ | ***Ex*** *- orbit - ante* < lat.: *exorbitare* |
| ***extra***$^1$ | ***Extra*** *- vi - ar* |

Este *morfema* expresa *un movimiento que se aleja de un límite; dicho límite es el contenido semántico de la base nominal con la que se ha combinado:*

Mediante un gráfico:

*Morfema facultativo (III)*
← *base nominal*

*Morfema facultativo (IV)*

| *Alomorfos:* | Ej.: |
| --- | --- |
| ***trans***$^1$, ***tras***$^1$ | ***Tras*** *- noch - ar* |

Este morfema añade al contenido del lexema base la noción de: *transición, paso.*

4.1.1.1.2. Los que combinados con base adjetiva > verbo.

Tratamos ahora de los *morfemas facultativos* que, combinados con base adjetiva, dan lugar a un verbo.

Ocurre lo mismo que hemos explicado anteriormente, con la sola diferencia de que el lexema base es un adjetivo.

*Morfema facultativo (I)*

| *Alomorfos:* | Ejs.: |
| --- | --- |
| ***a***$^2$, ***ad***$^2$ | ***A*** *- clar - ar* |
| ***con***$^2$, ***com***$^2$, ***co***$^2$ | ***Con*** *- dens - ar* |
| ***de***$^2$, ***des***$^2$, ***di***$^2$, ***dis***$^2$ | ***Di*** *- lucid - ar* |
| ***en***$^2$, ***em***$^2$, ***in***$^2$, ***im***$^2$, ***i***$^2$ | ***Em*** *- bob - ar* |
| ***re***$^2$ | ***Re*** *- fresc - ar* |

Este *morfema* orienta *positivamente el contenido semántico del lexema base.*

*Morfema facultativo (II)*

*Alomorfos:* Ej.:

**ex**$^{2}$, **es**$^{2}$, **e**$^{2}$ ***Ex*** *- propi - ar*

Este *morfema* da *una orientación negativa al contenido semántico del lexema base.*

4.1.1.1.3. Casos especiales.

Damos cuenta, a continuación, de algunos casos especiales.

El elemento ***por***- combinado con una base adjetiva da lugar a un sustantivo.

Ej.: ***Por*** *- menor*

Al tener un rendimiento muy escaso en este funcionamiento no podemos asignarle ningún valor semántico. Unicamente el valor gramatical de transformador de adjetivo en sustantivo.

El mismo elemento ***por***- combinado con una base verbal da lugar a un sustantivo.

Ej.: ***Por*** *- venir*

La única función que podemos asignarle es la de transformador de verbo en sustantivo.

Tal vez se trate de un caso de aglutinación formal por el uso en discurso de:

*por venir* ————→ *Porvenir*

De todas formas el infinitivo no necesita de este elemento para sustantivarse, al ser la forma más estática del verbo.

El elemento ***a***- nos lo encontramos combinado con dos bases adverbiales para dar lugar a dos verbos.

Ejs.: ***A*** *- cerc - ar*

***A*** *- lej - ar*

También tenemos el caso de ***re***- combinado con una partícula para originar un verbo.

Ej.: ***Re*** - *tras* - *ar*

La función de estos elementos consiste en poner el adverbio o la partícula en marcha hacia la categoría verbal, a la que se llegará tomando los *morfemas constitutivos* verbales.

4.1.1.2. En los morfemas no modificadores de categoría.

Estos morfemas, dentro de las posibilidades del sistema, pueden combinarse con cualquiera de las tres categorías básicas, sustantivo, adjetivo y verbo; por tanto, la categoría de entrada no constituye criterio diferenciador para poder establecer una oposición entre ellos. Tampoco lo es la categoría de salida, puesto que es la misma que la de entrada. La función de estos *morfemas* se centra en la orientación semántica que dan al contenido del lexema base organizando estructuralmente su contenido semántico de una manera distinta, al aparecer nuevas lexías que recubren una parcela significativa de ese contenido.

Nosotros, por mayor claridad metodológica, los estudiaremos por separado, según la categoría de entrada, pero repetimos que el único criterio válido para oponerlos es la orientación semántica que aportan a la base con la que se combinan. Al no tener una función gramatical de transformar una categoría en otra, su valor será semántico como hemos dicho más arriba.

4.1.1.2.1. Los que se combinan con sustantivo.

Comenzamos el estudio por los *morfemas facultativos* que combinados con sustantivos dan lugar a sustantivos de segunda visión.

*Morfema facultativo* (*I*)

| *Alomorfos:* | Ejs.: |
| --- | --- |
| ***ante***[1] | ***Ante*** - *sala* |
| ***pre***[1] | ***Pre*** - *guerra* |

El valor semántico que este *morfema* añade al contenido del sustantivo base es la noción de: *anterioridad.*

*Morfema facultativo (II)*

| *Alomorfos:* | Ejs.: |
|---|---|
| ***anti***[2] | ***Anti*** - *caspa* |
| ***contra***[1] | ***Contra*** - *cultura* |

Este *morfema* añade al contenido de la base léxica con la que se combina la noción de: *hostilidad, acción contra.*

*Morfema facultativo (III)*

| *Alomorfos:* | Ejs.: |
|---|---|
| ***arce***[1], ***arci***[1], ***arz***[1], ***arc***[1], ***arque***[1], ***arqui***[1], ***archi***[1] | ***Arc*** - *ángel* |
| ***epi-*** | ***Epi*** - *centro* |
| ***hiper***[1] | ***Hiper*** - *tensión* |
| ***per***[1] | ***Per*** - *inquina* |
| ***sobre***[1], ***super***[1] | ***Super*** - *cumbre* |
| ***supra***[1] | ***Supra*** - *realismo* |

Este *morfema* sirve para *cuantificar, aumentándolo,* el contenido semántico de la base.

*Morfema facultativo (IV)*

Tiene un solo *morfo:* ***auto***[1] Ej.: ***Auto*** - *determinación*

Este *morfema* añade al contenido de la base la noción de: *por sí mismo, propio.*

*Morfema facultativo (V)*

| *Alomorfos:* | Ejs.: |
|---|---|
| ***bi***[1], ***bis***[1], ***biz***[1] | ***Bis*** - *nieto* |
| ***di***[1], ***dis***[1] | ***Dí*** - *tono* |

Este *morfema* añade al contenido de la base la noción de: *dos, dos veces.*

*Morfema facultativo (VI)*

Presente un solo *morfo:* ***bio-*** Ej.: ***Bio** - dinámica*

El valor semántico añadido por este *morfema* al contenido de la base es la noción de: *vida.*

*Morfema facultativo (VII)*

Presenta un solo *morfo:* ***cis***[1] Ej.: ***Cis** - jordania*

Este *morfema* añade al contenido de la base la noción de: *del lado de acá, de esta parte de acá.*

*Morfema facultativo (VIII)*

*Alomorfos:*
***com***[3], ***con***[3], ***co***[3]

Ejs.:
***Com** - padre,* ***co** - madre*

Este *morfema* añade la noción de: *participación* en el contenido semántico del lexema base.

*Morfema facultativo (IX)*

*Alomorfos:*
***de***[3], ***des***[3], ***di***[3], ***dis***[3]
***im***[4], ***in***[4], ***i***[4]
***sin-***

Ejs.:
***Des** - identidad*
***In** - definición*
***Sin** - razón*

Este morfema da al contenido semántico de la base la noción de: *negatividad.*

*Morfema facultativo (X)*

Presenta un solo *morfo:* ***deca-*** Ej.: ***Decá** - metro*

Este *morfema* añade la noción de: *multiplicar por diez* el contenido semántico de la base.

La combinatoria de este *morfema* está localizada, prácticamente, en semantemas que pertenecen a lo que se conoce con el nombre de sistema métrico decimal.

*Morfema facultativo (XI)*

*Alomorfos:* — Ejs.:

**endo**[1] — ***Endo*** *- esqueleto*
**intra**[1] — ***Intra*** *- historia*

Este *morfema* añade al contenido de la base la noción de: *interior.*

*Morfema facultativo (XII)*

*Alomorfos:* — Ej.:

**entre**[1], **inter**[1] — ***Entre*** *- tiempo*

Este *morfema* añade al contenido de la base la noción de: *situación entre.*

*Morfema facultativo (XIII)*

Presenta un solo *morfo:* ***equi***[1] Ej.: ***Equi*** *- diferencia*

Este *morfema* aporta al semantema base la noción de: *igual.*

*Morfema facultativo (XIV)*

Presenta un solo *morfo:* ***ex***[3] Ej.: ***Ex*** *- corte*

Este *morfema* aporta al semantema base la noción de: *haber dejado de ser.*

*Morfema facultativo (XV)*

Presenta un solo *morfo:* ***exo***[1] Ej.: ***Exo*** *- esqueleto*

Este *morfema* añade al semantema base la noción de: *fuera, exterior.*

*Morfema facultativo (XVI)*

Presenta un solo *morfo:* ***foto-***[1]   Ej.: ***Foto*** *- copia*

Este *morfema* añade al contenido de la base la noción de: *relacionado con la luz.*

*Morfema facultativo (XVII)*

Presenta un solo *morfo:* ***gastro-***[1]   Ej.: ***Gastro*** *- enteritis*

Este *morfema* añade al contenido de la base la noción de: *relacionado con el estómago.*

*Morfema facultativo (XVIII)*

Presenta un solo *morfo:* ***geo-***[1]   Ej.: ***Geo*** *- política*

Este *morfema* añade al contenido de la base la noción de: *relacionado con la tierra.*

*Morfema facultativo (XIX)*

Presenta un solo *morfo:* ***hecto-***   Ej.: ***Hectó*** *- metro*

Este *morfema* añade al contenido del lexema base la noción de: *multiplicado por cien.*

La combinatoria de este *morfema* se localiza en semantemas que pertenecen al campo léxico-semántico del sistema métrico decimal.

*Morfema facultativo (XX)*

Presenta un solo *morfo:* ***helio-***[1]   Ej.: ***Helio*** *- tropismo*

Este *morfema* añade al contenido de la base la noción de: *relacionado con el sol.*

*Morfema facultativo (XXI)*

Presenta un solo *morfo:* ***hidro-***[1]        Ej.: ***Hidro*** *- avión*

Este *morfema* añade al contenido semántico de la base la noción de: *relacionado con el agua.*

*Morfema facultativo (XXII)*

| *Alomorfos:* | Ejs.: |
|---|---|
| ***hipo-***[1] | ***Hipo*** *- función* |
| ***infra-***[1] | ***Infra*** *- estructura* |
| ***sota-, soto-*** | ***Soto*** *- ministro* |
| ***sub-***[1]***, so-***[1]***, son-***[1]***, sor-***[1]***, sos-***[1]***, su-***[1]***, sus-***[1]***, sa-***[1]***, za-***[1]***, zam-***[1]***, cha-***[1] | ***Sub*** *- título* |
| ***vi-, vice-, viz, viso-*** | ***Vice*** *- presidente* |

Este *morfema* añade al contenido semántico de la base la noción de: *debajo de.*

*Morfema facultativo (XXIII)*

| *Alomorfos:* | Ej.: |
|---|---|
| ***kilo-, kili-, quilo-*** (30), ***quili-*** (31) | ***Kilo*** *- litro* |

Este *morfema* añade al contenido del lexema base la noción de: *multiplicado por mil.*

Su combinatoria se localiza en semantemas que pertenecen al campo léxico-semántico del sistema métrico decimal.

*Morfema facultativo (XXIV)*

| *Alomorfos:* | Ejs.: |
|---|---|
| ***macro-*** | ***Macro*** *- cosmos* |
| ***maxi-*** | ***Maxi*** *- falda* |
| ***mega-, megalo-*** | ***Megalo*** *- manía* |

(30) (31) Estas dos formas no son otra cosa que variantes gráficas de las dos anteriores.

Este *morfema* añade al contenido semántico del lexema base la noción de: *grande.*

*Morfema facultativo (XXV)*

*Alomorfos:*

**meta-**
**pos**[1], **post**[1]
**reta-**
**retro**[1]
**tatara**[1]
**trans**[2], **tras**[2]
**ultra**[1]

Ejs.:

***Meta*** - *física*
***Pos*** - *balance*
***Reta*** - *guardia*
***Retro*** - *pilastra*
***Tatara*** - *nieto*
***Tras*** - *altar*
***Ultra*** - *insensatez*

Este *morfema* añade al contenido semántico de la base la noción de: *más allá de, después de.*

*Morfema facultativo (XXVI)*

*Alomorfos:*

**micro-**
**mini-**

Ejs.:

***Micro*** - *organismo*
***Mini*** - *estado*

Este *morfema* añade al contenido de la base la noción de: *pequeño.*

*Morfema facultativo (XXVII)*

Presenta un solo *morfo:* ***miria-*** Ej.: ***Miriá*** - *metro*

Este *morfema* añade al contenido de la base la noción de: *multiplicado por diez mil.*

Es un *morfema* localizado en su combinatoria en el campo léxico-semántico del sistema métrico decimal.

*Morfema facultativo (XXVIII)*

Presenta un solo *morfo:* ***mono***[1] Ej.: ***Mono*** - *manía*

Este *morfema* añade al contenido semántico de la base la noción de: *sólo uno, una.*

*Morfema facultativo (XXIX)*

| *Alomorfos:* | Ejs.: |
|---|---|
| ***multi***[1] | ***Multi*** - *copista* |
| ***pluri***[1] | ***Pluri*** - *valencia* |
| ***poli-*** | ***Poli*** - *deportivo* |

Este *morfema* añade al contenido de la base la noción de: *vario, múltiple.*

*Morfema facultativo (XXX)*

Presenta un solo *morfo:* ***neo***[1] Ej.: ***Neo*** - *surrealismo*

Este *morfema* añade al contenido de la base la noción de: *nuevo.*

*Morfema facultativo (XXXI)*

| *Alomorfos:* | Ejs.: |
|---|---|
| ***omni***[1] | ***Omni*** - *presencia* |
| ***pan***[1], ***pant***[1] | ***Pan*** - *eslavismo* |

Este morfema añade al contenido de la base la noción de: *totalidad.*

*Morfema facultativo (XXXII)*

Presenta un solo *morfo:* ***paleo***[1] Ej.: ***Paleo*** - *grafía.*

Este morfema añade al contenido de la base la noción de: *antiguo.*

*Morfema facultativo (XXXIII)*

Presenta un solo *morfo:* ***para***[1] Ej.: ***Para*** - *psicología*

Este *morfema* añade al contenido de la base la noción de: *proximidad, inmediatez.*

*Morfema facultativo (XXXIV)*

Presenta un solo *morfo:* ***proto***[1] Ej.: ***Proto*** - *historia*

Este *morfema* añade al contenido semántico de la base la noción de: *primero, primera.*

*Morfema facultativo (XXXV)*

Un solo *morfo:* ***psico***[1] Ej.: ***Psico*** *- análisis*

Este *morfema* añade al contenido de la base la noción de: *referido al alma, espíritu o mente.*

*Morfema facultativo (XXXVI)*

*Alomorfos:* Ej.:
***re-*** **(*te* / *quete*)**[3] ***Re*** *- apertura*

Este *morfema* añade al contenido de la base la noción de: *repetición.*

*Morfema facultativo (XXXVII)*

Un solo *morfo:* ***semi***[1] Ej.: ***Semi*** *- penumbra*

Este *morfema* añade al contenido de la base la noción de: *no totalidad.*

*Morfema facultativo (XXXVIII)*

Un solo *morfo:* ***sesqui-*** Ej.: ***Sesqui*** *- óxido*

Este *morfema* añade al contenido de la base la noción de: *unidad más mitad de.*

La combinación de este *morfema* está localizada en elementos léxico-semánticos referidos a peso y medida.

*Morfema facultativo (XXXIX)*

Presenta un solo *morfo:* ***seudo***[1] Ej.: ***Seudo*** *- docencia*

Este *morfema* añade al contenido de la base la noción de: *no verdadero.*

*Morfema facultativo (XL)*

Un solo *morfo:* ***tele***-[1] Ej.: ***Tele*** - *comunicación*

Este *morfema* añade al contenido de la base la noción de: *a distancia.*

*Morfema facultativo (XLI)*

Presenta un solo *morfo:* ***tri***-[1] Ej.: ***Tri*** - *centenario*

Este *morfema* añade al contenido de la base la noción de: *tres veces.*

4.1.1.2.2. Los que se combinan con adjetivo.

Tratamos ahora de los *morfemas facultativos* que combinados con adjetivos dan lugar a adjetivos de segunda visión.

*Morfema facultativo (I)*

| *Alomorfos:* | Ejs.: |
|---|---|
| ***a***-[4], ***an***- | ***A*** - *político* |
| ***de***-[4], ***des***-[4] | ***Des*** - *honesto* |
| ***di***-[4], ***dis***-[4] | ***Dis*** - *continuo* |
| ***in***-[5], ***im***-[5], ***i***-[5] | ***In*** - *sincero* |

Este *morfema* añadido a una base sirve para expresar la noción de: *sentido inverso del contenido semántico de ésta.*

*Morfema facultativo (II)*

| *Alomorfos:* | Ejs.: |
|---|---|
| ***ante***-[2] | ***Ante*** - *clásico* |
| ***pre***-[2] | ***Pre*** - *rromántico* |

Este *morfema* añade al contenido semántico de la base la noción de: *anterioridad.*

*Morfema facultativo (III)*

*Alomorfos:*

**anti**[3]
**contra**[2]

Ejs.:

***Anti*** - *cristiano*
***Contra*** - *natural*

Este *morfema* añade al contenido semántico de la base la noción de: *contrario a.*

*Morfema facultativo (IV)*

*Alomorfos:*

**arce**[2], **arci**[2], **arc**[2], **arz**[2],
**arque**[2], **arqui**[2], **archi**[2]
**hiper**[2]
**per**[2]
**re- (te / quete)**[4]
**sobre**[2], **super**[2], **supra**[2]

Ejs.:

***Archi*** - *famoso*
***Hiper*** - *sensible*
***Per*** - *ilustre*
***Requete*** - *guapo*
***Sobre*** - *humano*

Este *morfema* añade al contenido semántico de la base la noción de: *cualidad en mayor grado.*

*Morfema facultativo (V)*

Presenta un solo *morfo:* **auto**[2] Ej.: ***Auto*** - *gestionario*

Este *morfema* añade al contenido semántico de la base la noción de: *por sí mismo.*

*Morfema facultativo (VI).*

*Alomorfos:*

**bi**[2], **bis**[2], **biz**[2]

Ej.:

***Bi*** - *cóncavo*

Este *morfema* añade al contenido semántico de la base la noción de: *dos, dos veces.*

*Morfema facultativo (VII)*

*Alomorfos:*

**circum**[1], **circun**[1], **circu**[1]

Ej.:

***Circum*** - *polar*

Este *morfema* añade al contenido semántico de la base la noción de: *alrededor de.*

*Morfema facultativo (VIII)*

*Alomorfos:*
***cis***[2]
***citra-***

Ejs.:
***Cis*** - *alpino*
***Citra*** - *montano*

Este *morfema* añade al contenido semántico de la base la noción de: *del lado de acá, de esta parte de acá.*

*Morfema facultativo (IX)*

*Alomorfos:*
***com***[4], ***con***[4], ***co***[4]

Ejs.:
***Con*** - *discípulo,*
***co*** - *propietario*

Este *morfema* añade al contenido semántico de la base la noción de: *participación.*

*Morfema facultativo (X)*

*Alomorfos:*
***endo***[2]
***intra***[2]

Ejs.:
***Endo*** - *traqueal*
***Intra*** - *semanal*

Este *morfema* añade al contenido semántico de la base la noción de: *interior.*

*Morfema facultativo (XI)*

*Alomorfos:*
***entre***[2], ***inter***[2]

Ej.:
***Inter*** - *americano*

Este *morfema* añade al contenido semántico de la base la noción de: *situación entre.*

*Morfema facultativo (XII)*

Un solo *morfo:* ***ex***[4] Ej.: ***Ex*** - *nupcial*

Este *morfema* añade al contenido semántico de la base la noción de: *haber dejado de ser.*

*Morfema facultativo (XIII)*

| *Alomorfos:* | Ejs.: |
|---|---|
| ***exo***[2] | ***Exo*** - *térmico* |
| ***extra***[2] | ***Extra*** - *académico* |

Este *morfema* añade al contenido semántico de la base la noción de: *fuera, exterior.*

*Morfema facultativo (XIV)*

Un solo *morfo:* ***foto***[2] Ej.: ***Foto*** - *eléctrico*

Este *morfema* añade al contenido semántico de la base la noción de: *relación con la luz.*

*Morfema facultativo (XV)*

Un solo *morfo:* ***gastro***[2] Ej.: ***Gastro*** - *intestinal*

Este *morfema* añade al contenido semántico de la base la noción de: *relacionado con el estómago.*

*Morfema facultativo (XVI)*

Presenta un solo *morfo:* ***geo***[2] Ej.: ***Geo*** - *tectónico*

Este *morfema* añade al contenido semántico de la base la noción de: *relacionado con la tierra.*

*Morfema facultativo (XVII)*

Un solo *morfo:* ***helio***[2] Ej.: ***Helio*** - *céntrico*

Este *morfema* añade al contenido semántico de la base la noción de: *relacionado con el sol.*

*Morfema facultativo (XVIII)*

Un solo *morfo:* ***hidro***[2] Ej.: ***Hidro*** - *eléctrico*

Este *morfema* añade al contenido semántico de la base la noción de: *relacionado con el agua.*

*Morfema facultativo (XIX)*

| *Alomorfos:* | Ejs.: |
|---|---|
| ***hipo***$^2$ | ***Hipo*** - *tenso* |
| ***infra***$^2$ | ***Infra*** - *humano* |
| ***sub***$^2$, ***su***$^2$, ***sus***$^2$, ***so***$^2$, ***son***$^2$, ***sor***$^2$, ***sos***$^2$, ***cha***$^2$, ***sa***$^2$, ***za***$^2$, ***zam***$^2$ | ***Sub*** - *normal* |

Este *morfema cuantifica negativamente,* es decir, *disminuyéndolo,* el contenido semántico de la base.

*Morfema facultativo (XX)*

Presenta un solo *morfo:* ***mono***$^2$ Ej.: ***Mono*** - *cromático*

Este *morfema* añade al contenido semántico de la base la noción de: *sólo uno.*

*Morfema facultativo (XXI)*

| *Alomorfos:* | Ejs.: |
|---|---|
| ***multi***$^2$ | ***Multi*** - *lateral* |
| ***pluri***$^2$ | ***Pluri*** - *celular* |

Este *morfema* añade al contenido semántico de la base la noción de: *vario, múltiple.*

*Morfema facultativo (XXII)*

Presenta un solo *morfo:* ***neo***$^2$ Ej.: ***Neo*** - *colonial*

Este *morfema* añade al contenido semántico de la base la noción de: *nuevo.*

*Morfema facultativo (XXIII)*

| *Alomorfos:* | Ejs.: |
|---|---|
| ***omni***$^2$ | ***Omni*** - *potente* |
| ***pan***$^2$, ***pant***$^2$ | ***Pan*** - *europeo* |

Este *morfema* añade al contenido semántico de la base la noción de: *totalidad.*

*Morfema facultativo (XXIV)*

Presenta un solo *morfo:* ***paleo***[2] Ej.: ***Paleo*** - *cristiano*

Este *morfema* añade al contenido semántico de la base la noción de: *antiguo.*

*Morfema facultativo (XXV)*

Presenta un solo *morfo:* ***para***[2] Ej.: ***Para*** - *militar*

Este *morfema* añade al contenido semántico de la base la noción de: *proximidad, inmediatez.*

*Morfema facultativo (XXVI)*

| *Alomorfos:* | Ejs.: |
|---|---|
| ***pos***[2], ***post***[2] | ***Post*** - *graduado* |
| ***tatara***[2] | ***Tatara*** - *deudo* |
| ***trans***[3], ***tras***[3] | ***Trans*** - *nacional* |
| ***ultra***[2] | ***Ultra*** - *rreaccionario* |

Este *morfema* añade al contenido semántico de la base la noción de: *más allá de, después de.*

*Morfema facultativo (XXVII)*

Un solo *morfo:* ***pro***[1] Ej.: ***Pro*** - *soviético*

Este *morfema* añade al contenido semántico de la base la noción de: *a favor de.*

*Morfema facultativo (XXVIII)*

Un solo *morfo:* ***proto***[2] Ej.: ***Proto*** - *rrománico*

Este *morfema* añade al contenido semántico de la base la noción de: *primero, primera.*

*Morfema facultativo (XXIX)*

Un solo *morfo:* ***psico***[2] Ej.: ***Psico*** - *motor*

Este *morfema* añade al contenido semántico de la base la noción de: *referido al alma, espíritu o mente.*

*Morfema facultativo (XXX)*

Un solo *morfo:* ***semi***[2] Ej.: ***Semi*** - *fantástico*

Este *morfema* añade al contenido semántico de la base la noción de: *no totalidad.*

*Morfema facultativo (XXXI)*

Un solo *morfo:* ***seudo***[2] Ej.: ***Seudo*** - *hermafrodita*

Este *morfema* añade al contenido semántico de la base la noción de: *no verdadero.*

*Morfema facultativo (XXXII)*

Un solo *morfo:* ***tri***[2] Ej.: ***Tri*** - *silábico*

Este *morfema* añade al contenido semántico de la base la noción de: *tres.*

4.1.1.2.3. Los que se combinan con verbo.

Nos ocupamos de aquellos *morfemas* que combinados con verbos dan lugar a verbos de segunda visión.

*Morfema facultativo (I)*

*Alomorfos:* Ej.:
***a***[3], ***ad***[3] ***A*** - *traer,* ***ad*** - *mirar*

Este *morfema* añade al contenido semántico de la base la noción de: *implicación del sujeto en la dirección objetual del semantema verbal;* dota al semantema verbal del clasema *humano.*

*Morfema facultativo (II)*

*Alomorfos:* Ejs.:

***ab-, abs-*** ***Ab** - sorber*, ***abs** - traer*

Este *morfema* añade al contenido semántico de la base la noción de: *dirección del implemento o suplemento al semantema verbal.*

*Morfema facultativo (III)*

*Alomorfos:* Ejs.:

***ante***[3], ***anti***[1] ***Ante** - poner*
***pre***[3] ***Pre** - sentir*

Este *morfema* añade al contenido semántico de la base la noción de: *anterioridad.*

*Morfema facultativo (IV)*

Un solo *morfo:* ***auto***[3] Ej.: ***Auto** - definirse*

Este *morfema* añade al contenido semántico de la base la noción de: *por sí mismo.*

*Morfema facultativo (V)*

*Alomorfos:* Ej.:

***circum***[2], ***circun***[2], ***circu***[2] ***Circum** - volar*

Este *morfema* añade al contenido semántico de la base la noción de: *alrededor de.*

*Morfema facultativo (VI)*

*Alomorfos:* Ejs.:

***com***[5], ***con***[5], ***co***[5] ***Com** - partir*, ***con** - jurar*,
***co** - habitar*

Este *morfema* añade al contenido semántico de la base la noción de: *participación.*

*Morfema facultativo* (*VII*)

Un solo *morfo:* **contra-**[3] Ej.: ***Contra*** - *decir*

Este *morfema* añade al contenido semántico de la base la noción de: *dirección contraria con relación al implemento,* (*en contra*).

*Morfema facultativo* (*VIII*)

| *Alomorfos:* | Ejs.: |
| --- | --- |
| ***de-***[5], ***des-***[5], ***di-***[5], ***dis-***[5] | ***Des*** - *atar* |
| ***in-***[6], ***im-***[6], ***i-***[6] | ***In*** - *cumplir* |

Este *morfema* añade al contenido semántico de la base la noción de: *sentido inverso.*

*Morfema facultativo* (*IX*)

| *Alomorfos:* | Ejs.: |
| --- | --- |
| ***entre-***[3], ***inter-***[3] | ***Inter*** - *poner* |
| ***entro-***, ***intro-*** | ***Entro*** - *meter* |

Este *morfema* añade al contenido semántico de la base la noción de: *acción entre.*

*Morfema facultativo* (*X*)

Un solo *morfo:* **equi-**[2] Ej.: ***Equi*** - *valer*

Este *morfema* añade al contenido semántico de la base la noción de: *igual.*

*Morfema facultativo* (*XI*)

| *Alomorfos:* | Ejs.: |
| --- | --- |
| ***ex-***[3], ***es-***[3], ***e-***[3] | ***Ex*** - *tender,* ***es*** - *tirar* |

Este *morfema* añade al contenido semántico de la base la noción de: *dirección desde el implemento o suplemento.*

*Morfema facultativo (XII)*

*Alomorfos:*
**in-**[3], **im-**[3], **i-**[3], **en-**[3], **em-**[3]
**de-**[6], **des-**[6], **di-**[6], **dis-**[6]

Ejs.:
***In*** *- fluir*
***De*** *- mostrar,* ***dis*** *- poner*

Este *morfema* añade al contenido semántico de la base la noción de: *visión global.*

*Morfema facultativo (XIII)*

*Alomorfos:*
***ob-, o-***

Ejs.:
***Ob*** *- tener,* ***o*** *- poner*

Este *morfema* añade al contenido semántico de la base la noción de: *causa.*

*Morfema facultativo (XIV)*

Un solo *morfo:* ***per-***[3]

Ej.: ***Per*** *- turbar*

Este *morfema* añade al contenido semántico de la base la noción de: *medio o modo.*

*Morfema facultativo (XV)*

*Alomorfos:*
***pos-***[3], ***post-***[3]

Ej.:
***Pos*** *- poner*

Este *morfema* añade al contenido semántico de la base la noción de: *posterioridad.*

*Morfema facultativo (XVI)*

Un solo *morfo:* ***pro-***[2]

***Pro*** *- pasar*

Este *morfema* añade al contenido semántico de la base la noción de: *finalidad.*

*Morfema facultativo (XVII)*

*Alomorfos:*
***re-*** **(*te* / *quete*)-**[5]

Ej.:
***Re*** *- plantear*

Este *morfema* añade al contenido semántico de la base la noción de: *repetición.*

*Morfema facultativo (XVIII)*

Un solo *morfo:* ***retro-***[2]  Ej.: ***Retro*** *- ceder*

Este *morfema* añade al contenido semántico de la base la noción de: *hacia atrás.*

*Morfema facultativo (XIX)*

*Alomorfos:*
***sobre-***[3], ***super-***[3], ***supra-***[3]

Ejs.:
***Sobre*** *- nadar,* ***super*** *- poner*

Este *morfema* añade al contenido semántico de la base la noción de: *encima.*

*Morfema facultativo (XX)*

*Alomorfos:*
***sub-***[3], ***sus-***[3], ***su-***[3], ***son-***[3], ***sor-***[3], ***sos-***[3], ***so-***[3], ***sa-***[3], ***za-***[3], ***zam-***[3], ***cha-***[3]

Ejs.:
***Sub*** *- rayar,* ***son*** *- reír,* ***sor*** *- prender,* ***sos*** *- tener*

Este *morfema* añade al contenido semántico de la base la noción de: *por debajo.*

*Morfema facultativo (XXI)*

Un solo *morfo:* ***tele-***  Ej.: ***Tele*** *- dirigir*

Este *morfema* añade al contenido semántico de la base la noción de: *a distancia.*

*Morfema facultativo (XXII)*

*Alomorfos:*
***tras-***[4], ***trans-***[4]

Ejs.:
***Tras*** *- pasar,* ***trans*** *- poner*

Este *morfema* añade al contenido semántico de la base la noción de: *más allá de.*

*Morfema facultativo (XXIII)*

Un solo *morfo:* ***tri***[3] Ej.: ***Tri*** *- partir*

Este *morfema* añade al contenido semántico de la base la noción de: *tres.*

4.1.2. *Funcionamiento de los microsistemas léxico-semánticos originados.*

En la combinatoria de *morfemas facultativos antepuestos modificadores de categoría* con bases léxicas sustantivas y adjetivas se generan verbos.

La relación que se puede establecer entre las bases y los términos resultantes es un contraste sintagmático.

Mediante la combinatoria de *morfemas facultativos antepuestos no modificadores de categoría* con bases léxicas sustantivas, adjetivas y verbales, se originan, generalmente, oposiciones semánticas binarias.

El tipo de oposición más frecuente es el de:

*base / base prefijada*

Ejs.: *Elemento /* ***Bio*** *- elemento*
*Académico /* ***Extra*** *- académico*
*Valer /* ***Equi*** *- valer*

Si, mediante esta combinatoria, resulta una oposición del tipo:

*base / base combinada con dos o más morfemas facultativos,*

cada término se opone al conjunto formado por los demás términos.

Ejs.:

*Tener:* (se opone a)

***A*** *- tener(se)*
***Abs*** *- tener(se)*
***Con*** *- tener*
***De*** *- tener*
***Re*** *- tener*

**A** - *tener(se):* (se opone a)

- *Tener*
- ***Abs** - tener(se)*
- ***Con** - tener*
- ***De** - tener*
- ***Re** - tener*

**Abs** - *tener(se):* (se opone a)

- *Tener*
- ***A** - tener(se)*
- ***Con** - tener*
- ***De** - tener*
- ***Re** - tener*

**Con** - *tener:* (se opone a)

- *Tener*
- ***A** - tener(se)*
- ***Abs** - tener(se)*
- ***De** - tener*
- ***Re** - tener*

**De** - *tener:* (se opone a)

- *Tener*
- ***A** - tener(se)*
- ***Abs** - tener(se)*
- ***Con** - tener*
- ***Re** - tener*

**Re** - *tener:* (se opone a)

- *Tener*
- ***A** - tener(se)*
- ***Abs** - tener(se)*
- ***Con** - tener*
- ***De** - tener*

Hemos establecido este segundo tipo de oposición, donde cada término se opone al conjunto formado por los demás, debido a que las nociones que aportan los *morfemas facultativos* a la base con la que se combinan son tan generales que no creemos posible encontrar rasgos comunes que sirvan de base para poder oponer los términos entre sí.

Solamente los términos de origen técnico, científico o cultural presentan una oposición semántica en la que cada término se opone, no al conjunto, sino a cada uno de los elementos del conjunto.

Ejs.:

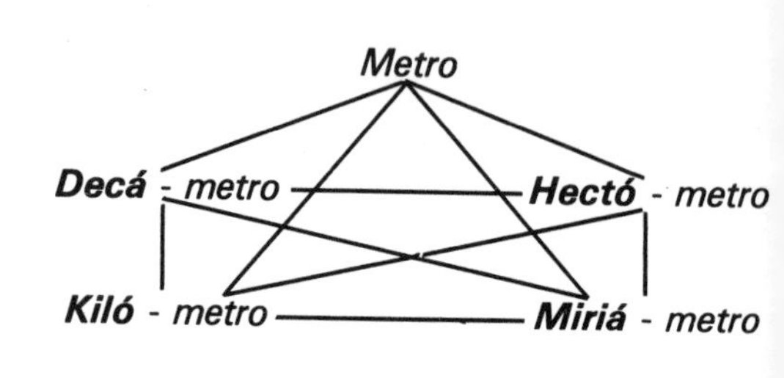


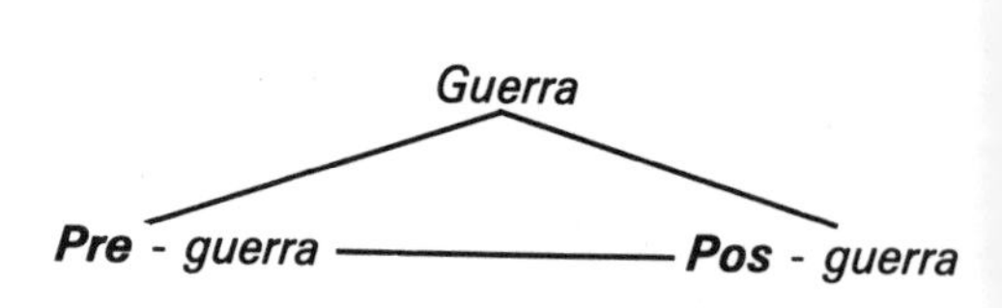


## 4.2. LOS MORFEMAS FACULTATIVOS POSPUESTOS.

Al igual que hemos hecho al ocuparnos de los *morfemas facultativos antepuestos* (cfr. 4.1.) y valiéndonos del mismo procedimiento, entramos en el estudio de los *morfemas facultativos pospuestos.*

| Rasgos / Formas | Modifica la categoría de la base | No modifica la categoría de la base | Se combina con base nominal | Se combina con base adjetiva | Se combina con base verba! | Da lugar a un sustantivo | Da lugar a un adjetivo | Da lugar a un verbo |
|---|---|---|---|---|---|---|---|---|
| - ***ac*** - *o/a*$^{1}$ | + | — | + | — | — | — | + | — |
| - ***ac*** - *o/a*$^{2}$ | — | + | + | — | — | + | — | — |
| - ***ac*** - *o/a*$^{3}$ | — | + | — | + | — | — | + | — |
| - ***ace*** - *o/a*$^{1}$ | + | — | + | — | — | — | + | — |
| - ***ace*** - *o/a*$^{2}$ | — | + | — | + | — | — | + | — |
| - ***ach*** - *o/a*$^{1}$ | — | + | + | — | — | + | — | — |
| - ***ach*** - *o/a*$^{2}$ | — | + | — | + | — | — | + | — |
| - ***ad*** - *a*$^{1}$ | + | — | — | + | — | + | — | — |
| - ***ad*** - *a*$^{2}$ | + | — | — | — | + | + | — | — |
| - ***ad*** - *a*$^{3}$ | — | + | + | — | — | + | — | — |
| - ***ad*** - *a*$^{4}$ | — | + | + | — | — | + | — | — |
| - ***ad*** - *o*$^{1}$ | + | — | — | — | + | + | — | — |
| - ***ad*** - *o*$^{2}$ | — | + | + | — | — | + | — | — |
| - ***ad*** - *o/a* | + | — | + | — | — | — | + | — |
| - ***ag*** - *a* | — | + | + | — | — | + | — | — |
| - ***aje***$^{1}$ | + | — | — | + | — | + | — | — |
| - ***aje***$^{2}$ | + | — | — | — | + | + | — | — |
| - ***aje***$^{3}$ | — | + | + | — | — | + | — | — |
| - ***aj*** - *o/a*$^{1}$ | — | + | + | — | — | + | — | — |
| - ***aj*** - *o/a*$^{2}$ | — | + | — | + | — | — | + | — |
| - ***al***$^{1}$ | + | — | + | — | — | — | + | — |

| Rasgos / Formas | Modifica la categoría de la base | No modifica la categoría de la base | Se combina con base nominal | Se combina con base adjetiva | Se combina con base verbal | Da lugar a un sustantivo | Da lugar a un adjetivo | Da lugar a un verbo |
|---|---|---|---|---|---|---|---|---|
| - ***al***[2] | — | + | + | — | — | + | — | — |
| - ***al***[3] | — | + | — | + | — | — | + | — |
| - ***all*** - *a* | — | + | + | — | — | + | — | — |
| - ***ambre*** | — | + | + | — | — | + | — | — |
| - ***amen*** | — | + | + | — | — | + | — | — |
| - ***ament*** - *a* | — | + | + | — | — | + | — | — |
| - ***(i)*** - ***an*** - *o/a* | + | — | + | — | — | — | + | — |
| - ***anc*** - *o/a*[1] | — | + | + | — | — | + | — | — |
| - ***anc*** - *o/a*[2] | — | + | — | + | — | — | + | — |
| - ***áncan*** - *o/a*[1] | — | + | + | — | — | + | — | — |
| - ***áncan*** - *o/a*[2] | — | + | — | + | — | — | + | — |
| - ***ang*** - *o/a*[1] | — | + | + | — | — | + | — | — |
| - ***ang*** - *o/a*[2] | — | + | — | + | — | — | + | — |
| - ***ángan*** - *o/a*[1] | — | + | + | — | — | + | — | — |
| - ***ángan*** - *o/a*[2] | — | + | — | + | — | — | + | — |
| - ***engue***[1] | — | + | + | — | — | + | — | — |
| - ***engue***[2] | — | + | — | + | — | — | + | — |
| - ***ingue***[1] | — | + | + | — | — | + | — | — |
| - ***ingue***[2] | — | + | — | + | — | — | + | — |
| - ***ing*** - *o/a*[1] | — | + | + | — | — | + | — | — |
| - ***ing*** - *o/a*[2] | — | + | — | + | — | — | + | — |
| - ***ong*** - *o/a*[1] | — | + | + | — | — | + | — | — |
| - ***ong*** - *o/a*[2] | — | + | — | + | — | [illegible] | [illegible] | [illegible] |

| | | | | | | | | |
|---|---|---|---|---|---|---|---|---|
| - ***and*** - *o/a* | + | — | — | — | + | — | + | — |
| - ***áne*** - *o/a* | + | — | + | — | — | — | + | — |
| - ***ante*** | + | — | — | — | + | — | + | — |
| - ***anz*** - *a* | + | — | — | — | + | + | — | — |
| - ***añ*** - *o/a* | + | — | + | — | — | — | + | — |
| - ***ar***$^{1}$ | + | — | + | — | — | — | + | — |
| - ***ar***$^{2}$ | — | + | + | — | — | + | — | — |
| - ***ari*** - *o*$^{1}$ | + | — | — | — | + | + | — | — |
| - ***ari*** - *o*$^{2}$ | — | + | + | — | — | + | — | — |
| - ***ari*** - *o/a* | + | — | + | — | — | — | + | — |
| - ***arra*** | + | — | + | — | — | — | + | — |
| - ***arr*** - *o/a*$^{1}$ | — | + | + | — | — | + | — | — |
| - ***arr*** - *o/a*$^{2}$ | — | + | — | + | — | — | + | — |
| - (*ar*) - ***asc*** - *o/a* | — | + | + | — | — | + | — | — |
| - ***astr*** - *e, o/a*$^{1}$ | — | + | + | — | — | + | — | — |
| - ***astr*** - *e, o/a*$^{2}$ | — | + | — | + | — | — | + | — |
| - ***atari*** - *o/a* | + | — | — | — | + | — | + | — |
| - ***at*** - *o*$^{1}$ | + | — | — | + | — | + | — | — |
| - ***at*** - *o*$^{2}$ | + | — | — | — | + | + | — | — |
| - ***at*** - *o/a* | — | + | + | — | — | + | — | — |
| - ***av*** - *o/a* | — | + | — | + | — | — | + | — |
| - (***ar***) - ***az*** | + | — | + | — | — | — | + | — |
| - ***az*** - *o*$^{1}$ | + | — | — | — | + | + | — | — |
| - ***az*** - *o*$^{2}$ | — | + | + | — | — | + | — | — |
| - ***az*** - *o/a*$^{1}$ | — | + | + | — | — | + | — | — |
| - ***az*** - *o/a*$^{2}$ | — | + | — | + | — | — | + | — |
| - ***azg*** - *o*$^{1}$ | + | — | — | + | — | + | — | — |

| Rasgos / Formas | Modifica la categoría de la base | No modifica la categoría de la base | Se combina con base nominal | Se combina con base adjetiva | Se combina con base verbal | Da lugar a un sustantivo | Da lugar a un adjetivo | Da lugar a un verbo |
|---|---|---|---|---|---|---|---|---|
| - ***azg*** - *o*$^2$ | + | — | — | — | + | + | — | — |
| - ***azg*** - *o*$^3$ | — | + | + | — | — | + | — | — |
| - **(*u/a/i*)** - ***ble*** | + | — | — | — | + | — | + | — |
| - **(*a/i*)** - ***bund*** - *o/a* | + | — | — | — | + | — | + | — |
| - **(*a/i*)** - ***ción*** | + | — | — | — | + | + | — | — |
| - **(*e/i*)** - ***dad*** | + | — | — | + | — | + | — | — |
| - ***tad*** | + | — | — | + | — | + | — | — |
| - **(*a/e/i*)** - ***der*** - *o/a* | + | — | — | — | + | — | + | — |
| - **(*a/e/i*)** - ***dor/*** - ***dor*** - *a* | + | — | — | — | + | — | + | — |
| - **(*a/e/i*)** - ***dumbre*** | + | — | — | + | — | + | — | — |
| - **(*al/et*)** - ***e*** - *ar*$^1$ | + | — | + | — | — | — | — | + |
| - **(*egu*)** - ***e*** - *ar*$^2$ | + | — | — | + | — | — | — | + |
| **(*et/ot*)** - ***e*** - *ar*$^3$ | — | + | — | — | + | — | — | + |
| - ***e*** - *o/a* | + | — | + | — | — | — | + | — |
| - ***ec*** - *er*$^1$ | + | — | + | — | — | — | — | + |
| - **(*al*)** - ***ec*** - *er*$^2$ | + | — | — | + | — | — | — | + |
| - ***ec*** - *er*$^3$ | — | + | — | — | + | — | — | + |
| - **(*t*)** - ***ec*** - *o/a* | + | — | + | — | — | — | + | — |
| - **(*ar*)** - ***ed*** - *a* | — | + | + | — | — | + | — | — |
| - ***ed*** - *o* | — | + | + | — | — | + | — | — |
| - **(*i*)** - ***eg*** - *o/a* | + | — | + | — | — | — | + | — |
| - ***ej*** - *o/a*$^1$ | — | + | + | — | — | + | — | — |

| | | | | | | | | |
|---|---|---|---|---|---|---|---|---|
| - ***enci*** - *a* | + | — | — | — | + | + | — | — |
| - ***enc*** - *o/a* | + | — | + | — | — | — | + | — |
| - ***eng*** - *o/a*[1] | + | — | + | — | — | — | + | — |
| - ***eng*** - *o/a*[2] | — | + | — | + | — | — | + | — |
| - ***ense,*** - ***iense*** | + | — | + | — | — | — | + | — |
| - (*i*) - ***ent*** - *o/a* | — | + | — | + | — | — | + | — |
| - (***ol/ul***) - ***ent*** - *o/a* | + | — | + | — | — | — | + | — |
| - (***ol***) - ***ient*** - *o/a* | + | — | + | — | — | — | + | — |
| - (*i*) - ***ente*** | + | — | — | — | + | — | + | — |
| - (***ü/igü***) - ***eñ*** - *o/a* | + | — | — | — | + | — | + | — |
| - ***eñ*** - *o/a* | + | — | + | — | — | — | + | — |
| - ***er*** - *a*[1] | + | — | — | + | — | + | — | — |
| - ***er*** - *a*[2] | — | + | + | — | — | + | — | — |
| - ***er*** - *o/a* | + | — | + | — | — | — | + | — |
| - ***erí*** - *a* | + | — | — | — | + | + | — | — |
| - ***és/es*** - *a* | + | — | + | — | — | — | + | — |
| - ***esc*** - *o/a* | + | — | + | — | — | — | + | — |
| - ***este,*** - ***estre*** | + | — | + | — | — | — | + | — |
| - ***et*** - ***e,*** *o/a*[1] | — | + | + | — | — | + | — | — |
| - ***et*** - ***e,*** *o/a*[2] | — | + | — | + | — | — | + | — |
| - ***eta*** | + | — | + | — | — | — | + | — |
| - ***ez***[1], - (***al***) - ***ez*** - *a* | + | — | — | + | — | + | — | — |
| - ***ez***[2] | + | — | + | — | — | — | + | — |
| - ***ezn*** - *o/a* | — | + | + | — | — | + | — | — |
| - ***í*** | + | — | + | — | — | — | + | — |
| - ***i*** - *a* | + | — | — | + | — | + | — | — |
| - ***i*** - *o* | + | — | — | — | + | + | — | — |

| Rasgos / Formas | Modifica la categoría de la base | No modifica la categoría de la base | Se combina con base nominal | Se combina con base adjetiva | Se combina con base verbal | Da lugar a un sustantivo | Da lugar a un adjetivo | Da lugar a un verbo |
|---|---|---|---|---|---|---|---|---|
| - ***i*** - *o/a* | + | — | + | — | — | — | + | — |
| - ***í*** - *o/a* | + | — | + | — | — | — | + | — |
| - (***er***) - ***í*** - *a* | + | — | — | + | — | + | — | — |
| - (***er***) - ***í*** - *o/a* | — | + | + | — | — | + | — | — |
| - ***ic*** - *o/a*[1] | + | — | + | — | — | — | + | — |
| - (***át***) - ***ic*** - *o/a*[2] | + | — | + | — | — | — | + | — |
| - (***c***) - ***ic*** - *o/a*[3] | — | + | + | — | — | + | — | — |
| - (***ec***) - ***ic*** - *o/a*[3] | — | + | + | — | — | + | — | — |
| - (***cec***) - ***ic*** - *o/a*[3] | — | + | + | — | — | + | — | — |
| - (***c***) - ***ic*** - *o/a*[4] | — | + | — | + | — | — | + | — |
| - (***ec***) - ***ic*** - *o/a*[4] | — | + | — | + | — | — | + | — |
| - (***cec***) - ***ic*** - *o/a*[4] | — | + | — | + | — | — | + | — |
| - ***ici*** - *a* | + | — | — | + | — | + | — | — |
| - ***ici*** - *o* | + | — | — | — | + | + | — | — |
| - ***icida*** | — | + | + | — | — | + | — | — |
| - ***id*** - *a* | + | — | — | — | + | + | — | — |
| - ***id*** - *o* | + | — | — | — | + | + | — | — |
| - (***ar***) - ***ieg*** - *o/a* | + | — | — | — | + | — | + | — |
| - ***ific*** - *ar*[1] | + | — | + | — | — | — | — | + |
| - ***ific*** - *ar*[2] | + | — | — | + | — | — | — | + |
| - ***ig*** - *o/a* | + | — | + | — | — | — | + | — |
| - ***iqu*** - *ar*[1] | + | — | + | — | — | — | — | + |

| | | | | | | | | |
|---|---|---|---|---|---|---|---|---|
| - (***c***) - ***ill*** - *o/a*$^{1}$ | — | + | + | — | — | + | — | — |
| - (***ec***) - ***ill*** - *o/a*$^{1}$ | — | + | + | — | — | + | — | — |
| - (***cec***) - ***ill*** - *o/a*$^{1}$ | — | + | + | — | — | + | — | — |
| - (***c***) - ***ill*** - *o/a*$^{2}$ | — | + | — | + | — | — | + | — |
| - (***ec***) - ***ill*** - *o/a*$^{2}$ | — | + | — | + | — | — | + | — |
| - (***cec***) - ***ill*** - *o/a*$^{2}$ | — | + | — | + | — | — | + | — |
| - ***in*** - *a* | + | — | — | + | — | + | — | — |
| - ***in*** - *o/a*$^{1}$ | + | — | + | — | — | — | + | — |
| - (***c***) - ***in,*** - *o/a*$^{2}$ | — | + | + | — | — | + | — | — |
| - (***ec***) - ***in,*** - *o/a*$^{2}$ | — | + | + | — | — | + | — | — |
| - (***cec***) - ***in,*** *o/a*$^{2}$ | — | + | + | — | — | + | — | — |
| - (***c***) - ***in,*** - *o/a*$^{3}$ | — | + | — | + | — | — | + | — |
| - (***ec***) - ***in,*** - *o/a*$^{3}$ | — | + | — | + | — | — | + | — |
| - (***cec***) - ***in,*** *o/a*$^{3}$ | — | + | — | + | — | — | + | — |
| - (***ar***) - ***in/*** - ***in*** - *a* | + | — | — | — | + | — | + | — |
| - ***ión,*** - ***sión*** | + | — | — | — | + | + | — | — |
| - ***isc*** - *o/a* | — | + | + | — | — | + | — | — |
| - ***isc*** - *ar* | — | + | — | — | + | — | — | + |
| - ***ism*** - *o*$^{1}$ | + | — | — | + | — | + | — | — |
| - ***ism*** - *o*$^{2}$ | + | — | — | — | + | + | — | — |
| - ***ism*** - *o*$^{3}$ | — | + | + | — | — | + | — | — |
| - ***ista*** | + | — | + | — | — | — | + | — |
| - ***it*** - *ar*$^{1}$ | + | — | — | + | — | — | — | + |
| - ***it*** - *ar*$^{2}$ | — | + | — | — | + | — | — | + |
| - (***c***) - ***it*** - *o/a*$^{1}$ | — | + | + | — | — | + | — | — |
| - (***ec***) - ***it*** - *o/a*$^{1}$ | — | + | + | — | — | + | — | — |
| - (***cec***) - ***it*** - *o/a*$^{1}$ | — | + | + | — | — | + | — | — |
| - (***c***) - ***it*** - *o/a*$^{2}$ | — | + | — | + | — | — | + | — |

| Rasgos / Formas | Modifica la categoría de la base | No modifica la categoría de la base | Se combina con base nominal | Se combina con base adjetiva | Se combina con base verbal | Da lugar a un sustantivo | Da lugar a un adjetivo | Da lugar a un verbo |
|---|---|---|---|---|---|---|---|---|
| - (***ec***) - ***it*** - *o/a*[2] | — | + | — | + | — | — | + | — |
| - (***cec***) - ***it*** - *o/a*[2] | — | + | — | + | — | — | + | — |
| - ***ita*** | + | — | + | — | — | — | + | — |
| - ***itis*** | — | + | + | — | — | + | — | — |
| - ***iv*** - *o/a* | + | — | + | — | — | — | + | — |
| - (***at/it***) - ***iv*** - *o/a* | + | — | — | — | + | — | + | — |
| - ***iz*** - *ar*[1] | + | — | + | — | — | — | — | + |
| - ***iz*** - *ar*[2] | + | — | — | + | — | — | — | + |
| - (***ad/ed***) - ***iz*** - *o/a* | + | — | — | — | + | — | + | — |
| - ***iz*** - *o/a*[1] | + | — | + | — | — | — | + | — |
| - ***iz*** - *o/a*[2] | — | + | — | + | — | — | + | — |
| - (***a***) - ***ment*** - *a* | — | + | + | — | — | + | — | — |
| - (***a/i***) - ***ment*** - *o* | + | — | — | — | + | + | — | — |
| - (***a/i***) - ***mient*** - *o* | + | — | — | — | + | + | — | — |
| - ***oide***[1] | — | + | + | — | — | + | — | — |
| - ***oide***[2] | — | + | — | + | — | — | + | — |
| - ***ol/ol*** - *a* | + | — | + | — | — | — | + | — |
| - ***ólog*** - *o/a* | + | — | + | — | — | — | + | — |
| - (***az/ez***) - ***ón*** | + | — | — | — | + | + | — | — |
| - ***ón/*** - ***on*** - *a*[1] | + | — | + | — | — | — | + | — |
| - ***ón/*** - ***on*** - *a*[2] | + | — | — | — | + | — | + | — |
| - ***ón/*** - ***on*** - *a*[3] | — | + | + | — | — | + | — | — |

| | | | | | | | | |
|---|---|---|---|---|---|---|---|---|
| - ***orr*** - *o/a*$^{1}$, - ***orri*** - *o/a*$^{1}$ | — | + | + | — | — | + | — | — |
| - ***urr*** - *o/a*$^{1}$, - ***urri*** - *o/a*$^{1}$ | — | + | + | — | — | + | — | — |
| - ***orr*** - *o/a*$^{2}$, - ***orri*** - *o/a*$^{2}$ | — | + | — | + | — | — | + | — |
| - ***urr*** - *o/a*$^{2}$, - ***urri*** - *o/a*$^{2}$ | — | + | — | + | — | — | + | — |
| - ***os*** - *o/a*$^{1}$ | + | — | + | — | — | — | + | — |
| - ***os*** - *o/a*$^{2}$ | — | + | — | + | — | — | + | — |
| - ***ot*** - *e/a*$^{1}$ | — | + | + | — | — | + | — | — |
| - ***ot*** - *e/a*$^{2}$ | — | + | — | + | — | — | + | — |
| - ***(í)*** - ***ota*** | + | — | + | — | — | — | + | — |
| - ***sor/*** - ***sor*** - *a,* | + | — | — | — | + | — | + | — |
| - ***tor/*** - ***tor*** - *a,* ***triz*** | + | — | — | — | + | — | + | — |
| - ***(í)*** - ***tud,*** - ***ud*** | + | — | — | + | — | + | — | — |
| - ***(z)*** - ***uc*** - *o/a*$^{1}$ | — | + | + | — | — | + | — | — |
| - ***(ez)*** - ***uc*** - *o/a*$^{1}$ | — | + | + | — | — | + | — | — |
| - ***(cez)*** - ***uc*** - *o/a*$^{1}$ | — | + | + | — | — | + | — | — |
| - ***(z)*** - ***uc*** - *o/a*$^{2}$ | — | + | — | + | — | — | + | — |
| - ***(ez)*** - ***uc*** - *o/a*$^{2}$ | — | + | — | + | — | — | + | — |
| - ***(cez)*** - ***uc*** - *o/a*$^{2}$ | — | + | — | + | — | — | + | — |
| - ***(z)*** - ***uch*** - *o/a*$^{1}$ | — | + | + | — | — | + | — | — |
| - ***(ez)*** - ***uch*** - *o/a*$^{1}$ | — | + | + | — | — | + | — | — |
| - ***(cez)*** - ***uch*** - *o/a*$^{1}$ | — | + | + | — | — | + | — | — |
| - ***(z)*** - ***uch*** - *o/a*$^{2}$ | — | + | — | + | — | — | + | — |
| - ***(ez)*** - ***uch*** - *o/a*$^{2}$ | — | + | — | + | — | — | + | — |
| - ***(cez)*** - ***uch*** - *o/a*$^{2}$ | — | + | — | + | — | — | + | — |
| - ***ud*** - *o/a* | + | — | + | — | — | — | + | — |
| - ***(z)*** - ***uel*** - *o/a*$^{1}$ | — | + | + | — | — | + | — | — |

| Rasgos / Formas | Modifica la categoría de la base | No modifica la categoría de la base | Se combina con base nominal | Se combina con base adjetiva | Se combina con base verbal | Da lugar a un sustantivo | Da lugar a un adjetivo | Da lugar a un verbo |
|---|---|---|---|---|---|---|---|---|
| - (***ez***) - ***uel*** - *o/a*[1] | — | + | + | — | — | + | — | — |
| - (***cez***) - ***uel*** - *o/a*[1] | — | + | + | — | — | + | — | — |
| - (***z***) - ***uel*** - *o/a*[2] | — | + | — | + | — | — | + | — |
| - (***ez***) - ***uel*** - *o/a*[2] | — | + | — | + | — | — | + | — |
| - (***cez***) - ***uel*** - *o/a*[2] | — | + | — | + | — | — | + | — |
| - ***uj*** - *o/a* | — | + | — | + | — | — | + | — |
| - ***umbre*** | — | + | + | — | — | + | — | — |
| - ***un*** - *a* | + | — | — | + | — | + | — | — |
| - ***un*** - *o/a* | + | — | + | — | — | — | + | — |
| - ***ur*** - *a* | + | — | — | + | — | + | — | — |
| - (***ad***) - ***ur*** - *a* | + | — | — | — | + | + | — | — |
| - (***ed***) - ***ur*** - *a* | + | — | — | — | + | + | — | — |
| - (***id***) - ***ur*** - *a* | + | — | — | — | + | + | — | — |
| - (***at***) - ***ur*** - *a* | + | — | — | — | + | + | — | — |
| - (***it***) - ***ur*** - *a* | + | — | — | — | + | + | — | — |
| - (***s***) - ***ur*** - *a* | + | — | — | — | + | + | — | — |
| - ***usc*** - *o/a*[1] | — | + | + | — | — | + | — | — |
| - ***uzc*** - *o/a*[1] | — | + | + | — | — | + | — | — |
| - ***usc*** - *o/a*[2] | — | + | — | + | — | — | + | — |
| - ***uzc*** - *o/a*[2] | — | + | — | + | — | — | + | — |
| - ***uz*** - *a* | — | + | + | — | — | + | — | — |

### 4.2.1. *Agrupación formal y resultados funcionales.*

Hay algunos *morfemas facultativos pospuestos* que quedan claramente definidos por medio de los rasgos anteriormente señalados; son aquellos cuya función consiste única y exclusivamente en un cambio de categoría gramatical de la base con la que se combinan. No añaden noción semántica alguna a dicha base. Hay otro grupo donde se produce cambio de categoría y a la vez se añade algún rasgo semántico y, por último, existen *morfemas* cuya función consiste en añadir un matiz semántico a la base sin alterar su categoría.

En nuestra determinación de los rasgos de los *morfemas facultativos pospuestos* nos hemos limitado a señalar las formas por medio de las cuales se manifiestan con la atribución de los rasgos correspondientes a cada una.

Ahora trataremos de agrupar dichas formas en unidades de contenido.

#### 4.2.1.1. En los morfemas que no añaden orientación semántica a la base.

Todas las formas que presenten idénticos rasgos serán expresión del mismo *morfema.*

Representaremos por medio de números romanos el *morfema* y a su lado su expresión formal correspondiente.

*Morfema facultativo (I)*

Aquel que se combina con bases adjetivas y da lugar a sustantivos.

| *Alomorfos:* | Ejs.: |
|---|---|
| - **ad** - *a*[1] | *Inocent* - **ad** - *a* |
| - **aj** - *e*[1] | *Libertin* - **aj** - *e* |
| - **at** - *o*[1] | *Celib* - **at** - *o* |
| - **azg** - *o*[1](32) | *Lider* - **azg** - *o* |
| - (**e**/**i**) - **dad** | *Sincer* - **idad** |

(32) Prescindimos aquí de la cita de formas dialectales del mismo origen que - **azg** - *o*[1], como pueden ser - **alg** - *o* y - **aj** - *o*.

| | |
|---|---|
| - ***tad*** | *Leal* - ***tad*** |
| - (*a/e/i*) - ***dumbre*** | *Mans* - ***edumbre*** |
| - ***el*** - *a* | *Caut* - ***el*** - *a* |
| - *er* - ***a***[1] | *Coj* - ***er*** - *a* |
| - ***ez***[1] | *Amarill* - ***ez*** |
| - (*al*) - ***ez*** - *a* | *Pur* - ***ez*** - *a* |
| - (*er*) - ***í*** - *a* | *Bob* - ***erí*** - *a* |
| - ***i*** - *a* | *Eficac* - ***i*** - *a* |
| - ***ici*** - *a* | *Just* - ***ici*** - *a* |
| - ***in*** - *a* | *Golos* - ***in*** - *a* (33) |
| - ***ism*** - *o*[1] | *Hero* - ***ísm*** - *o* |
| - ***or***[1] | *Verd* - ***or*** |
| - (*i*) - ***tud*** | *Lent* - ***itud*** |
| - ***ud*** | *Quiet* - ***ud*** |
| - ***un*** - *a* | *Tont* - ***un*** - *a* |
| - ***ur*** - *a* | *Bland* - ***ur*** - *a* |

Precisamente el segundo valor —el hecho de ser goloso— es el que nos permite incluir el elemento - ***in*** - ***a*** como alomorfo de este *morfema facultativo* (*I*) que hemos venido estudiando.

Los otros valores semánticos que da el *DRAE* sólo pueden ser explicados a nivel lexía como un caso de expansión semántica: de la denominación del hecho o apetito de ser goloso se pasa a designar con la misma lexía el objeto que provoca ese deseo o apetito.

Saliendo al paso de las dudas que pudieran plantearse en aquellos otros casos que, aparentemente, no parecen ajustarse a lo que aquí exponemos, consideramos conveniente señalar que, una vez formadas las lexías, hay casos en que experimentan una expansión semántica y en otros no. Queremos poner de relieve que este cambio se produce a nivel lexía, no a nivel *morfema facultativo.*

También puede ocurrir que se haya formado una lexía-sustantivo, pongamos por caso, mediante el alomorfo - ***idad,*** y más tarde se haya originado otra lexía-sustantivo sobre la misma base léxica mediante otro alomorfo, por ejemplo - ***ism*** - ***o.***

(33) Creemos que este caso necesita una aclaración por nuestra parte. En el DRAE, s. v. *golosina* se dan los siguientes valores semánticos:

1. «Manjar delicado que sirve más para el gusto que para el sustento, como frutas, dulces y otros».
2. «Deseo o apetito de una cosa».
3. «Cosa más agradable que útil».

Tendremos entonces dos lexías; así las parejas: *material* - ***idad***, *material* - ***ism*** - *o*, *espiritual* - ***idad***, *espiritual* - ***ism*** - *o*, que debieran ofrecer el mismo contenido semántico si lo que venimos explicando es cierto. Creemos que, a nivel de lengua, en el proceso de la léxico-génesis, sí tienen el mismo contenido semántico. Lo que ha ocurrido es que el sistema de la lengua, ante hechos como éste , ha organizado diferentes combinatorias para cada una de las lexías.

Otra solución hubiera sido quedarse con una sola que apareciera en toda la combinatoria sintagmática que cubre cada una de ellas.

Por tanto, al tratarse de elementos sólo diferenciados por la combinatoria sintáctica, pueden llegar a neutralizarse en un determinado contexto. Estas cuestiones nos limitamos a apuntarlas, no a tratarlas, porque se salen del objetivo de este estudio. Aquí nos ocupamos del comportamiento del *morfema facultativo*, que se sitúa, lógicamente, a nivel *morfema*.

Estas otras cuestiones que señalamos, deben ser estudiadas a nivel lexía. En este nivel es, precisamente, donde se sitúa el *DRAE* cuando establece las acepciones o diferencias semánticas de estas parejas de lexías, que, para nosotros, volvemos a repetir, no son más que diferencias de combinatoria sintáctica, que, indudablemente, estará regulada por la compatibilidad o incompatibilidad semántica con los otros elementos de la cadena sintagmática con los que tenga que establecer relaciones el elemento en cuestión.

Evidentemente, por la interrelación implícita, la combinatoria sintáctica va a orientar la acepción, con su correspondiente forma.

*Morfema facultativo* (*II*)

Se combina con bases verbales y origina sustantivos.

| *Alomorfos:* | Ejs.: |
|---|---|
| - ***ad*** - *a*[2] | *Tir* - ***ad*** - *a* |
| - ***ad*** - *o*[1] | *Cuid* - ***ad*** - *o* |
| - ***aje***[2] | *Fich* - ***aje*** |
| - ***anci*** - *a* | *Ignor* - ***anci*** - *a* |
| - ***anz*** - *a* | *Esper* - ***anz*** - *a* |
| - ***ari*** - *o*[1] | *Coment* - ***ari*** - *o* |

| | |
|---|---|
| - *at* - *o*[2] | *Aleg* - ***at*** - *o* |
| - *az* - *o*[1] | *Pinch* - ***az*** - *o* |
| - *azg* - *o*[2] | *Hall* - ***azg*** - *o* |
| - (*a*/*i*) - ***ción*** | *Vibr* - ***ación,*** *pun* - ***ición*** |
| - ***enci*** - *a* | *Resist* - ***enci*** - *a* |
| - ***erí*** - *a* | *Corr* - ***erí*** - *a* |
| - ***i*** - *o* | *Delir* - ***i*** - *o* |
| - ***ici*** - *o* | *Bull* - ***ici*** - *o* |
| - ***id*** - *a* | *Ca* - ***íd*** - *a* |
| - ***id*** - *o* | *Rug* - ***id*** - *o* |
| - ***ij*** - *o* | *Amas* - ***ij*** - *o* |
| - ***ión,*** - ***sión*** | *Rebel* - ***ión,*** *conclus* - ***ión*** |
| - ***ism*** - *o*[2] | *Reform* - ***ism*** - *o* |
| - (*a*/*i*) - ***ment*** - *o* | *Jur* - ***ament*** - *o* |
| - (*a*/*i*) - ***mient*** - *o* | *Aburr* - ***imient*** - *o* |
| - (*az*/*ez*) - ***ón*** | *Apret* - ***ón,*** *com* - ***ezón*** |
| - ***or***[2] | *Dol* - ***or*** |
| - (*ad*) - ***ur*** - *a* | *Emboc* -***adur*** - *a* |
| - (*ed*) - ***ur*** - *a* | *Mord* - ***edur*** - *a* |
| - (*id*) - ***ur*** - *a* | *Añad* - ***idur*** - *a* |
| - (*at*/*it*/*s*) - ***ur*** - *a* | *Abrevi* - ***atur*** - *a* |

4.2.1.2. En los morfemas que añaden orientación semántica a la base.

Trataremos de establecer aquí las variantes formales de los *morfemas facultativos pospuestos* que aportan unos valores semánticos a la base a la vez que intentamos precisar dicha orientación semántica.

Esto irá referido tanto a los *morfemas modificadores de categoría* como a los *no modificadores.*

4.2.1.2.1. En los morfemas modificadores de categoría.

4.2.1.2.1.1. Los que combinados con base nominal > adjetivo.

Nos ocupamos primeramente de aquellos *morfemas* ,que transforman bases nominales en adjetivos.

*Morfema facultativo (I)*

| *Alomorfos:* | Ejs.: |
|---|---|
| - **ac** - o/a[1] | *Polici* - **ac** - *o* |
| - **áce** - o/a[1] | *Herb* - **áce** - *o* |
| - **al**[1] | *Asistenci* - **al** |
| - **áne** - o/a | *Moment* - **áne** - *o* |
| - **añ** - o/a | *Ermit* - **añ** - *o* |
| - **ar**[1] | *Cautel* - **ar** |
| - **(ar)** - **az** | *Mont* - **araz** |
| - **eng** - o/a[1] | *Abad* - **eng** - *o* |
| - **esc** - o/a | *Goy* - **esc** - *o* |
| - **este** | *Cel* - **este** |
| - **estre** | *Camp* - **estre** |
| - **i** - o/a | *Pontific* - **i** - *o* |
| - **il** | *Mujer* - **il** |
| - **isc** - o/a | *Aren* - **isc** - *o* |
| - **iz** - o/a[1] | *Fronter* - **iz** - *o* |
| - **un** - o/a | *Hombr* - **un** - *o* |

Este *morfema* añade a la base la noción semántica de: *referido a.*

*Morfema facultativo (II)*

| *Alomorfos:* | Ejs.: |
|---|---|
| - **ad** - o/a | *Barb* - **ad** - *o* |
| - **(ol/ul)** - **ent** - o/a | *Fraud* - **ulent** - *o* |
| - **í** - o/a | *Sombr* - **í** - *o* |
| - **(át)** - **ic** - o/a[2] | *Prosa* - **ic** - *o, arom* - **átic** - *o* |
| - **(ol)** - **ient** - o/a | *Gras* - **ient** - *o* |
| - **ig** - o/a | *Clér* - **ig** - *o* |
| - **iv** - o/a | *Instint* - **iv** - *o* |
| - **ón/** - **on** - a[1] | *Barrig* - **ón** |
| - **os** - o/a[1] | *Bullici* - **os** - *o* |
| - **ud** - o/a | *Hues* - **ud** - *o* |

La noción aportada por este *morfema* es la de: *no implica actividad.*

*Morfema facultativo (III)*

| *Alomorfos:* | Ejs.: |
|---|---|
| - (*i*) - **an** - *o/a* | *Rom* - **an** - *o* |
| - **arra** | *Donosti* - **arra** |
| - **e** - *o/a* | *Europ* - **e** - *o* |
| - (**t**) - **ec** - *o/a* | *Guatemal* - **tec** - *o* |
| - (*i*) - **eg** - *o/a* | *Manch* - **eg** - *o* |
| - **en** - *o/a*[1] | *Chil* - **en** - *o* |
| - **enc** - *o/a* | *Ibic* - **enc** - *o* |
| - (*i*) - *ense* | *Castellon* - **ense** |
| - **eñ** - *o/a* | *Malagu* - **eñ** - *o* |
| - **er** - *o/a* | *Trian* - **er** - *o* |
| - **és**/ - **es** - *a* | *Ugand* - **és** |
| - **eta** | *Lisbo* - **eta** |
| - **í** | *Ceut* - **í** |
| - **ic** - *o/a*[1] | *Pérs* - **ic** - *o* |
| - **in** - *o/a*[1] | *Santander* - **in** - *o* |
| - **ita** | *Israel* - **ita** |
| - **ol**/ - **ol** - *a* | *Españ* - **ol** |
| - (*i*) - **ota** | *Cair* - **ota** |

Este morfema añade a la base con la que se combina la noción semántica de: *originario de.*

*Morfema facultativo (IV)*

| *Alomorfos:* | Ejs.: |
|---|---|
| - **ari** - *o/a* | *Rutin* - **ari** - *o* |
| - **er** - *o/a* | *Embust* - **er** - *o* |
| - **ista** | *Art* - **ista** |
| - **ólog** - *o/a* | *Cancer* - **ólog** - *o* |

La noción semántica que este *morfema* aporta a la base es la de: *actividad.*

*Morfema facultativo (V)*

Presenta un solo *morfo:* - **ez**[2] Ej.: *Benít* - **ez**

Este *morfema* en la actualidad es un elemento no productivo. En épocas pasadas, cuando se combinaba con nombres propios para originar adjetivos, el valor semántico que añadía a la base era el de: *hijo de.*

4.2.1.2.1.2. Los que combinados con base verbal > adjetivo.

Por lo que se refiere a los *morfemas* transformadores de bases verbales en adjetivos nos encontramos con lo siguiente.

*Morfema facultativo (I)*

| *Alomorfos:* | Ejs.: |
| --- | --- |
| - ***and*** - *o/a* | *Vener* - ***and*** - *o* |
| - (***u/a/i***) - ***ble*** | *Despreci* - ***able*** |
| - (***a/e/i***) - ***der*** - *o/a* | *Hac* - ***eder*** - *o* |

*Morfema facultativo (II)*

| *Alomorfos:* | Ejs.: |
| --- | --- |
| - ***ante*** | *Amarg* - ***ante*** |
| - ***atari*** - *o/a* | *Arrend* - ***atari*** - *o* |
| - (***a/i***) - ***bund*** - *o/a* | *Mor* - ***ibund*** - *o* |
| - (***a/e/i***) - ***dor/- dor*** - *a* | *Abrum* - ***ador*** |
| - (***i***) - ***ente*** | *Ard* - ***iente*** |
| - (***ü/igü***) - ***eñ*** - *o/a* | *Ped* - ***igüeñ*** - *o* |
| - (***ar***) - ***ieg*** - *o/a* | *And* - ***arieg*** - *o* |
| - (***ar***) - ***ín/*** - ***in*** - *a* | *Bail* - ***arín*** |
| - (***at/it***) - ***iv*** - *o/a* | *Signific* - ***ativ*** - *o* |
| - (***ad/id***) - ***iz*** - *o/a* | *Torn* - ***adiz*** - *o* |
| - ***ón/*** - ***on*** - *a*[2] | *Chill* - ***ón*** |
| - (***t/at/it***) - ***ori*** - *o/a* | *Infam* - ***atorio*** |
| - (***s***) - ***ori*** - *a* | *Deci* - ***sori*** - *o* |
| - ***or/*** - ***or*** - *a* | *Delat* - ***or*** |
| - ***sor/*** - ***sor*** - *a* | *Defen* - ***sor*** |
| - ***tor/*** - ***tor*** - *a*, ***triz*** | *Traduc* - ***tor*** |

La oposición semántica entre estos dos *morfemas facultativos* podríamos representarla de una manera gráfica teniendo en cuenta la noción de contenido que añaden a la base con la que se combinan:

*actividad*

(I) — / (II) +

Ej.: *Ador* - ***able*** / *Ador* - ***ador***

4.2.1.2.1.3. Los que combinados con base nominal > verbo.

Solamente hay un *morfema facultativo*

| *Alomorfos:* | Ejs.: |
|---|---|
| - (***al***) - ***e*** - *ar*[1] | *Centell* - ***e*** - *ar, pat* - ***ale*** - *ar* |
| - (***et***) - ***e*** - *ar*[1] | *Al* - ***ete*** - *ar* |
| - ***ec*** - *er*[1] | *Favor* - ***ec*** - *er* |
| - ***ific*** - *ar*[1] | *Clas* - ***ific*** - *ar* |
| - ***igu*** - *ar*[1] | *Apac* - ***igu*** - *ar* |
| - ***iz*** - *ar*[1] | *Rubor* - ***iz*** - *ar* |

La orientación semántica que presenta es *dirección con relación a la base,* orientada desde el *morfema* a la base.

4.2.1.2.1.4. Los que combinados con base adjetiva > verbo.

Tratamos ahora de los *morfemas facultativos* que se combinan con bases adjetivas.

*Morfema facultativo* (*I*)

| *Alomorfos:* | Ejs.: |
|---|---|
| - ***ific*** - *ar*[2] | *Fort* - ***ific*** - *ar* |
| - ***igu*** - *ar*[2] | *Sant* - ***igu*** - *ar* |
| - ***it*** - *ar*[1] | *Habil* - ***it*** - *ar* |
| - ***iz*** - *ar*[2] | *Suav* - ***iz*** - *ar* |

Presenta la orientación semántica de *dirección con relación a la base,* orientada desde el *morfema* a la base.

*Morfema facultativo* (*II*)

| *Alomorfos:* | Ejs.: |
|---|---|
| - (***egu***) - ***e*** - *ar*² | *Amarill* - ***e*** - *ar, verd* - ***egue*** - *ar* |
| - (***al***) - ***ec*** - *er*² | *Palid* - ***ec*** - *er, fort* - ***alec*** - *er* |

La orientación semántica que presenta es un caso especial de *dirección con relación a la base.* En el término originado el proceso no sale del sujeto.

4.2.1.2.2. En los morfemas no modificadores de categoría.

Si al tratar de los *morfemas facultativos modificadores de categoría* nos encontrábamos con casos en que el *morfema* no añadía valor semántico alguno a la base con la que se combinaba sino que se limitaba a modificar su categoría gramatical y en otros, además de producirse dicha modificación, se aportaba una orientación semántica a la base, aquí en los *morfemas facultativos no modificadores de categoría,* al no producirse un cambio en la categoría gramatical de la base, necesariamente tienen que proporcionarle una orientación semántica; se caracterizan funcionalmente por matizar o redestribuir el contenido semántico de las bases con las que se combinan.

4.2.1.2.2.1. Los que se combinan con sustantivo.

Nos ocupamos en primer lugar de los *morfemas facultativos* que combinados con bases nominales dan lugar a sustantivos de segunda visión.

*Morfema facultativo* (*I*)

| *Alomorfos:* | Ejs.: |
|---|---|
| - ***ac*** - *o*/*a*² | *Libr* - ***ac*** - *o* |
| - ***ach*** - *o*/*a*¹ | *Pic* - ***ach*** - *o, cov* - ***ach*** - *a* |

| | |
|---|---|
| - **aj** - *o/a*[1] | *Cint* - **aj** - *o* |
| - **anc** - *o/a,*[1] - **ánca** - *o/a*[1] | |
| - **ang** - *o/a,*[1] - **ángan** - *o/a*[1] | *Cur* - **ángan** - *o,* |
| - **engue,**[1] - **ingue,**[1] - **ing** - *o/a,*[1] | *señorit* - **ing** - *o,* |
| - **ong** - *o/a,*[1] - **ung** - *o/a*[1] | *bail* - **ong** - *o* |
| - **astr** - **e,** *o/a*[1] | *Madr* - **astr** - *a* |
| - **(z/ez/cez)** - **uch** - *o/a*[1] | *Papel* - **uch** - *o, cas* - **uch** - *a* |
| - **uz** - *a* | *Gent* - **uz** - *a* |

Este *morfema* da un matiz *despectivo* al contenido semántico de la base.

*Morfema facultativo (II)*

| *Alomorfos:* | Ejs.: |
|---|---|
| - **ad** - *a*[3] | *Miur* - **ad** - *a* |
| - **ad** - *o*[2] | *Consul* - **ad** - *o* |
| - **ag** - *a* | *Cién* - **ag** - *a* |
| - **aje**[3] | *Cortin* - **aje** |
| - **al**[2] | *Aren* - **al** |
| - **all** - *a* | *Murr* - **all** - *a* |
| - **amen,** - **ambre** | *Vel* - **amen,** *pel* - **ambre** |
| - **ament** - *a* | *Corn* - **ament** - *a* |
| - **ar**[2] | *Pin* - **ar** |
| - **ari** - *o*[2] | *Poem* - **ari** - *o* |
| - **azg** - *o*[3] | *Arciprest* - **azg** - *o* |
| - **ed** - *a* | *Arbol* - **ed** - *a* |
| - **ed** - *o* | *Robl* - **ed** - *o* |
| - **er** - *a*[2] | *Prad* - **er** - *a* |
| - **(er)** - **í** - *o/a* | *Mujer* - **í** - *o, lengüet* - **erí** - *a* |
| - **ism** - *o*[3] | *Catastrof* - **ismo** |
| - **umbre** | *Tech* - **umbre** |

Este *morfema* tiene como función servir para transformar una base sustantiva *individual* o *discontinua* en un sustantivo *colectivo* o *continuo.*

*Morfema facultativo (III)*

| *Alomorfos:* | Ejs.: |
|---|---|
| - **ad** - *a*[4] | *Pat* - **ad** - *a* |
| - **az** - *o*[2] | *Escob* - **az** - *o* |

Este *morfema* añade al contenido semántico de la base la noción de: *golpe con, golpe de.*

*Morfema facultativo (IV)*

| *Alomorfos:* | Ejs.: |
|---|---|
| - ***arr*** - *o/a*[1] - ***orr*** - *o/a*[1] | *Chiv* - ***arr*** - *o, vid* - ***orr*** - *a* |
| - ***orri*** - *o/a*[1] - ***urr*** - *o/a*[1] | |
| - ***urri*** - *o/a*[1] | |
| - ***az*** - *o/a*[1] | *Padr* - ***az*** - *o* |
| - ***ón/*** - ***on*** - *a*[3] | *Caj* - ***ón*** |
| - ***ot*** - *e/a*[1] | *Palabr* - ***ot*** - *a* |

Este *morfema* añade al contenido semántico de la base la noción de: *mayor que.*

*Morfema facultativo (V)*

| *Alomorfos:* | Ejs.: |
|---|---|
| - **(*ar*)** - ***asc*** - *o/a* | *Peñ* - ***asc*** - *o* |
| - ***usc*** - *o/a*[1] ***uzc*** - *o/a*[1] | *Pedr* - ***usc*** - *o* |

Este *morfema* añade al contenido semántico de la base la noción de: *parte de, trozo de.*

*Morfema facultativo (VI)*

| *Alomorfos:* | Ejs.: |
|---|---|
| - ***at*** - *o/a* | *Lob* - ***at*** - *o* |
| - ***ezn*** - *o/a* | *Os* - ***ezn*** - *o* |

La noción semántica que añade a la base este *morfema* es: *cría de.*

*Morfema facultativo (VII)*

| *Alomorfos:* | Ejs.: |
|---|---|
| - ***ej*** - *o/a*[1] | *Diabl* - ***ej*** - *o* |
| - ***et*** - *e, o/a*[1] | *Pander* - ***et*** - *a* |
| - **(*c/ec/cec*)** - ***ic*** - *o/a*[3] | *Flor* - ***ecic*** - *a* |

| | |
|---|---|
| - (*c*/*ec*/*cec*) - ***ill*** - *o*/*a*[1] | *Almohad* - ***ill*** - *a*, *cancion* - ***cill*** - *a* |
| - (*c*/*ec*/*cec*) - ***in***, - *o*/*a*[2] | *Nebl* - ***in*** - *a* |
| - (*c*/*ec*/*cec*) - ***it*** - *o*/*a*[1] | *Cabec* - ***it*** - *a* |
| - (*z*/*ez*/*cez*) - ***uc*** - *o*/*a*[1] | *Tierr* - ***uc*** - *a* |
| - (*z*/*ez*/*cez*) - ***uel*** - *o*/*a*[1] | *Oj* - ***uel*** - *o* |

Este *morfema* añade al contenido semántico de la base la noción de: *menor que.*

*Morfema facultativo* (*VIII*)

Un solo *morfo:* - ***icida*** Ej.: *Insect* - ***icida***

Este *morfema* orienta semánticamente a la base con la noción de: *que destruye, que mata.*

*Morfema facultativo* (*IX*)

Un solo *morfo:* - ***itis*** Ej.: *Encefal* - ***itis***

Este *morfema* añade al contenido semántico de la base la noción de: *inflamación de.*

*Morfema facultativo* (*X*)

Un solo *morfo:* - ***oide***[1] Ej.: *Celul* - ***oide***

Con este *morfema* se añade a la base la noción de: *semejante a.*

4.2.1.2.2.2. Los que se combinan con adjetivo.

Pasamos ahora a tratar de los *morfemas facultativos* que combinados con bases adjetivas dan lugar a adjetivos de segunda visión.

*Morfema facultativo (I)*

| *Alomorfos:* | Ejs.: |
|---|---|
| - **ac** - *o/a*$^{3}$ | *Tont* - **ac** - *o* |
| - **ach** - *o/a*$^{2}$ | *Ric* - **ach** - *o* |
| - **aj** - *o/a*$^{2}$ | *Pequeñ* - **aj** - *o* |
| - **anc** - *o/a*$^{2}$, - **áncan** - *o/a*$^{2}$, | |
| - **ang** - *o/a*$^{2}$, - **ángan** - *o/a*$^{2}$, | |
| - **engue**$^{2}$, - **ingue**$^{2}$, - **ing** - *o/a*$^{2}$, | |
| - **ong** - *o/a*$^{2}$, - **ung** - *o/a*$^{2}$ | *Bland* - **engue** |
| - **astr** - *e, o/a*$^{2}$ | *Pill* - **astr** - *e* |
| - **(z/ez/cez)** - **uch** - *o/a*$^{2}$ | *Debil* - **uch** - *o* |
| - **uj** - *o/a* | *Blanc* - **uj** - *o* |

Este *morfema* orienta en sentido *despectivo* el contenido semántico de la base.

*Morfema facultativo (II)*

| *Alomorfos:* | Ejs.: |
|---|---|
| - **áce** - *o/a*$^{2}$ | *Gris* - **áce** - *o* |
| - (*i*) - **ent** - *o/a* | *Amarill* - **ent** - *o* |
| - **iz** - *o/a*$^{2}$ | *Roj* - **iz** - *o* |
| - **os** - *o/a*$^{2}$ | *Verd* - **os** - *o* |
| - **usc** - *o/a*$^{2}$, - **uzc** - *o/a*$^{2}$ | *Negr* - **uzc** - *o* |

Este *morfema* añade al contenido semántico de la base la noción de: *en parte.*

*Morfema facultativo (III)*

| *Alomorfos:* | Ejs.: |
|---|---|
| - **al**$^{3}$ | *Patern* - **al** |
| - **eng** - *o/a*$^{2}$ | *Real* - **eng** - *o* |

Este *morfema* no matiza el contenido semántico de las bases con las que se combina, sino que los términos léxicos originados presentan, a nivel sintagma, una combinatoria complementaria con relación a su base.

*Morfema facultativo (IV)*

| *Alomorfos:* | Ejs.: |
|---|---|
| - **arr** - *o/a*², - **orr** - *o/a*², | |
| - **orri** - *o/a*², - **urr** - *o/a*², | |
| - **urri** - *o/a*² | *Beat* - **orr** - *a* |
| - **az** - *o/a*² | *Buen* - **az** - *o* |
| - **ón/** - **on** - *a*⁴ | *Pedant* - **ón** |
| - **ot** - *e/a*² | *Grand* - **ot** - *e* |

Este *morfema* añade al contenido semántico de la base la noción de: *más que.*

*Morfema facultativo (V)*

Un solo *morfo:* - **av** - *o/a* Ej.: *Doce* - **av** - *o*

Este *morfema* añade al contenido semántico de la base la noción de: *parte de.*

Sólo se combina con los numerales cardinales.

*Morfema facultativo (VI)*

| *Alomorfos:* | Ejs.: |
|---|---|
| - **ej** - *o/a*² | *Mal* - **ej** - *o* |
| - **et** - *e, o/a*² | *Pobr* - **et** - *e* |
| - **(c/ec/cec)** - **ic** - *o/a*⁴ | *Barat* - **ic** - *o* |
| - **(c/ec/cec)** - **ill** - *o/a*² | *Delgad* - **ill** - *o* |
| - **(c/ec/cec)** - **in,** - *o/a*³ | *Tont* - **in** - *a* |
| - **(c/ec/cec)** - **it** - *o/a*² | *Rub* - **it** - *a, grand* - **ecit** - *o* |
| - **(z/ez/cez)** - **uc** - *o/a*² | *Guap* - **uc** - *a* |
| - **(z/ez/cez)** - **uel** - *o/a*² | *Pequeñ* - **uel** - *o* |

Este *morfema* añade al contenido semántico de la base la noción de: *menos que.*

*Morfema facultativo (VII)*

Un solo *morfo:* - **en** - *o/a*² Ej.: *Trec* - **en** - *o*

Este *morfema* añade al contenido semántico de la base la noción de: *posición en una serie.*

Sólo se combina con los numerales cardinales.

*Morfema facultativo (VIII)*

Un solo *morfo: -* ***oide***[2] Ej.: *Imperial -* ***oide***

Este *morfema* añade al contenido semántico de la base la noción de: *semejante a.*

4.2.1.2.2.3. Los que se combinan con verbo.

Entramos aquí en la consideración de los *morfemas facultativos* que combinados con bases verbales dan lugar a verbos de segunda visión.

*Morfema facultativo (I)*

Solamente nos encontramos con este *morfema.*

| *Alomorfos:* | Ejs.: |
|---|---|
| - **(*et/ot*)** - ***e*** - *ar*[3] | *Pas -* ***e*** *- ar, pis -* ***ote*** *- ar* |
| - ***isc*** - *ar* | *Lam -* ***isc*** *- ar, ol -* ***isc*** *- ar* |
| - ***it*** - *ar*[2] | *Dorm -* ***it*** *- ar* |

La función de este *morfema* consiste en convertir bases verbales que indican *proceso no cíclico* en verbos que indican *proceso cíclico.*

El elemento - ***ec*** - *er* no tiene, en esta combinatoria, vitalidad alguna en el español de hoy. En tiempos pasados, ha servido para reforzar el valor del verbo base hasta que, con el tiempo, lo ha suplantado y ha hecho que desaparezca.

Por citar un ejemplo, en el español medieval, coexisten *escarnir* y su derivado *escarnecer;* éste último es el que ha prevalecido, con el mismo valor semántico que tenía el anterior.

Esto nos prueba que, en la léxico-génesis, las formas más recientes, cuando pertenecen a la misma categoría gramatical de la base y tienen un contenido semántico próximo a las formas que las han originado, acaban por eliminarlas con la consiguiente renovación del léxico que esta operación supone.

4.2.1.2.2.4. Estudio de un caso especial.

Queremos hacer referencia a un caso muy especial; se trata de un *morfema facultativo* que combinado con adverbios da lugar a adverbios de segunda visión.

| *Alomorfos:* | Ejs.: |
|---|---|
| - ***ill*** - *o/a* | *Silband* - ***ill*** - *o* |
| - ***it*** - *o/a* | *Silband* - ***it*** - *o, ahor* - ***it*** - *a* |

Si consideramos que el adverbio no es una categoría léxica sino una categoría sintáctica en la que se incluyen elementos de procedencia diversa —deícticos, nombres, adjetivos, verbos— podemos afirmar que, lo que decimos en este trabajo de estas formas combinadas con nombres, adjetivos y verbos se puede aplicar a los pocos casos en que aparecen combinadas con elementos de la llamada categoría «adverbio».

4.2.2. *Funcionamiento de los microsistemas léxico-semánticos originados.*

Cuando se produce una transformación categorial la relación que se establece entre el término base y el término o términos originados es un contraste sintagmático.

La misma relación se establece entre los términos originados sobre una misma base, si pertenecen a categorías diferentes.

Ej.: *Opinar* >*Opinión*
>*Opinable*

Distinta relación existe cuando los términos originados sobre la misma base pertenecen a la misma categoría.

Ejs.:

*Vender* > *Vendible*
*Vender* > *Vendedor*

*Mujer* > *Mujeril*
*Mujer* > *Mujeriego*

Cuando no se produce transformación categorial del término base al término originado, se originan microsistemas léxico-semánticos que, normalmente, funcionan en oposiciones binarias.

Ejs.:

*Poeta / Poetastro*
*Ojo / Ojuelo*
*Pared / Paredón*
*Arbol / Arboleda*
*Verde / Verdoso*
*Oso / Osezno*
*Oler / Oliscar*
*Dormir / Dormitar*
etc...., etc....

Sólo con los *morfemas* que indican: *más que, mayor que,* y *menos que, menor que,* llamados tradicionalmente «aumentativos» y «diminutivos» parece ser que, especialmente combinados con sustantivos, dan lugar a sistemas léxico-semánticos más amplios.

Ejs.:

*Chaqueta* > *Chaquetón*
*Chaqueta* > *Chaquetilla*

*Mosca* > *Moscón*
*Mosca* > *Mosquito*

*Carro* > *Carreta* > *Carretón*
*Carro* > *Carreta* > *Carretilla*

En diacronía la divergencia semántica que puede producirse entre una base léxica y los términos formados sobre ella puede ser tan grande que llegue un momento en que el hablante perciba una relación semántica entre ellos totalmente diferente a la existente en otro momento de la historia de la lengua.

Ejs.: *Lente / Lenteja*
*Cera / Cerilla*
*Monte / Montón*

## 4.3. ESTUDIO DE UNA FORMA INDIFERENTE A LA DISTRIBUCIÓN.

Solamente tenemos una forma —***filo***— indiferente a la posición con relación a la base con la que se combina, y esta forma podemos considerarla como un *alomorfo* del *morfema facultativo* (*XXVII*) de los que combinados con adjetivos dan lugar a adjetivos de segunda visión (cfr. 4.1.1.2.2.).

Aunque allí hablábamos de un solo *morfo* de este *morfema,* con esta consideración, quedaría actualizado en discurso por dos *alomorfos:*

***pro*** - (antepuesto)
- ***filo*** - (antepuesto o pospuesto)

En esta combinatoria funcionarían como *alomorfos* pero el funcionamiento de la forma ***pro*** - es más extenso que el de - ***filo*** - ya que puede además combinarse con semantemas verbales:

***Pro*** - *seguir* -

La forma ***pro*** - puede combinarse con adjetivos y verbos como actualización de *morfemas* diferentes que no modifican la categoría gramatical de entrada.

La forma - ***filo*** - solamente se combina con adjetivos en las palabras formadas en español. Prescindimos aquí de otro tipo de lexías que ya nos han venido dadas, con el elemento - ***filo*** - integrado, como puede ser el caso de *filosofía.*

En la combinatoria con semantemas adjetivos para dar lugar a nuevos adjetivos ambas formas no son más que *alomorfos* de un mismo *morfema.*

## 4.4. SELECCIÓN DE ALOMORFOS.

Es un hecho patente y perfectamente observable que las formas de expresión se modifican en la historia de las lenguas. Las correspondientes a los *morfemas facultativos* no han escapado a esta ley general de la evolución lingüística.

Los factores fonológicos que han provocado las variantes formales han actuado en el proceso diacrónico de la lengua. Nosotros no vamos a ocuparnos del estudio de los condicionamientos fonético-fonológicos que han hecho aparecer estos *alomorfos* en los *morfemas facultativos.*

En lo que se refiere a los *morfemas facultativos antepuestos,* puede consultarse el trabajo de A. Quilis (34), donde, al estudiarlos y establecer los *alomorfos* correspondientes, se hace teniendo en cuenta los cambios formales ocurridos como consecuencia de una evolución fonético-fonológica.

En lo que concierne a los *alomorfos* de *morfemas facultativos pospuestos,* surgidos como consecuencia de la evolución fonético-fonológica de la lengua y para los condicionamientos que existen en su distribución, condicionamientos siempre de tipo formal, puede consultarse el libro de E. Martínez Celdrán (35) y el interesante estudio de J. W. Harris (36). No consideramos oportuno repetir aquí lo dicho en estos trabajos que acabamos de citar; a ellos remitimos a quienes estén interesados en estas cuestiones.

Damos como algo hecho la fijación, por parte de quienes se han ocupado de estos problemas, de los *alomorfos* provocados por una evolución fonético-fonológica divergente. Simplemente nos limitamos a tomarlos y a considerarlos como tales *alomorfos* o variantes formales.

---

(34) A. Quilis, «Sobre la Morfonología. Morfonología de los Prefijos en Español», en *Homenaje a Menéndez Pidal,* IV. *Revista de la Universidad de Madrid,* XIX, 1970, pp. 169-184.

(35) E. Martínez Celdrán. *Sufijos Nominalizadores del Español.* Ediciones de la Universidad de Barcelona. Barcelona, 1975.

(36) J. W. Harris. «Alternancias Consonánticas en Morfología Derivativa», en *Fonología Generativa del Español.* Planeta. Barcelona, 1975, pp. 163-192.

Pero además de estos *alomorfos,* existen otros; son aquellos que han llegado a ser tales por una evolución funcional convergente.

Queremos decir con esto que, formas distintas, con valores diferentes en un determinado estadio de la evolución lingüística, llegaron con el paso del tiempo y en otro estadio de lengua posterior a converger en una misma función, pasando de esta manera a ser *alomorfos* de una determinada forma de contenido.

Para que esto haya podido ocurrir, ha sido preciso un proceso en el que los elementos que nos ocupan hayan ido perdiendo progresivamente su valor semántico autónomo —aquellos que lo tuvieran— para llegar a una gramaticalización.

De esta manera nos encontramos, en un análisis sincrónico, como es el que nos hemos propuesto, con el hecho de que un conjunto de elementos, sin ninguna semejanza formal, manifiesta una misma función; por tanto, los elementos de dicho conjunto, en esa sincronía, funcionan como *alomorfos* de un determinado *morfema,* lo cual no quiere decir que en todas las sincronías anteriores hayan funcionado como tales *alomorfos.*

Desde el punto de vista diacrónico, es posible que haya habido etapas en la evolución de la lengua en las que la aparición de uno u otro *alomorfo* de los que llamamos funcionales estuviera condicionada por la interrelación entre el contenido semántico de la base y el presumible contenido de la forma en cuestión. Determinadas bases seleccionarían, en su combinatoria con *morfemas facultativos,* unos *alomorfos* y otras bases, otros diferentes.

No es difícil establecer, para el primer tipo de *alomorfos* que hemos señalado —los que han aparecido como resultado de una evolución fonético-fonológica divergente— unas constantes de uso, llamémosles constantes de distribución, o constantes de selección por parte de los lexemas con los que se combinan.

Efectivamente, aquí, fuera de los casos de distribución libre de *alomorfos,* la aparición de una u otra variante está condicionada por la forma del lexema .

Por lo que se refiere a los *alomorfos* funcionales, su selección, en épocas pasadas, no estaría motivada por cuestiones formales del lexema sino más bien por algún rasgo semántico del semantema con el que se combinaban, que hiciera posible o no la combinatoria con determinados elementos.

Esto es algo que no es observable en la sincronía de la que nos ocupamos, al encontrarse estos *morfemas* gramaticalizados, con lo cual, lo único que podemos afirmar es que, en líneas generales, la aparición de uno u otro *alomorfo* es libre.

El sistema de la lengua ofrece una serie de posibilidades de actualización de determinados *morfemas facultativos,* al disponer, para ello, de varias formas de expresión; es el hablante el que se decide por una forma u otra en esa actualización del *morfema* en el discurso. En una época hay preferencia en el uso de ciertos *alomorfos* y en otras se utilizan más otros.

De todas formas hemos podido observar algún caso en que existen ciertos condicionamientos en la actualización de estos *alomorfos* funcionales.

Por poner un ejemplo, se puede hablar de la selección dialectal de *alomorfos* del *morfema facultativo pospuesto* (*VII*) de los que se combinan con bases nominales y dan lugar a sustantivos de segunda visión (cfr. 4.2.1.2.2.1.) y del *morfema facultativo pospuesto* (*VI*) de los que se combinan con bases adjetivas y dan lugar a adjetivos de segunda visión (cfr. 4.2.1.2.2.2.). El uso de los *alomorfos* de estos *morfemas* llamados tradicionalmente «diminutivos» refleja una distribución dialectal; nos referimos, por supuesto, a los dialectos geográficos u horizontales, no a los verticales.

En otros casos puede haber una selección de un *alomorfo* o de otro para deshacer una homonimia existente en la base con la que se combinan dichos *alomorfos.*

Explicaremos esto último mediante un ejemplo:

*Llan* - ***ur*** - *a* / *Llan* - ***ez*** - *a*

Bajo la forma lexicológica del adjetivo *llano* que sirve de base, hay dos formas de contenido, dos sememas en una relación de intersección semántica.

A la hora de transformar estos dos contenidos semánticos con funcionamiento de adjetivo en dos términos con funcionamiento de sustantivo, el sistema lingüístico, debido a que dispone de más de un *alomorfo* para dicha transformación, ha empleado dos diferentes para deshacer, en los sustantivos resultantes, la homonimia existente en el elemento lexicológico de base *llano.*

No se trata de que el elemento - ***ur*** - *a* y el elemento - ***ez*** - *a* aporten contenidos distintos a la base; si así fuera no serían *alomorfos* sino formas pertenecientes a *morfemas* diferentes. Volvemos a insistir en que su función es exactamente la misma: transformar una categoría gramatical *adjetivo* en una categoría gramatical *sustantivo.*

Ahora bien, como estos dos elementos poseen una forma diferente, a nivel lexía han servido para diferenciar formalmente dos contenidos semánticos.

Esto creemos que no invalida, de manera alguna, su función de *alomorfos* a nivel de léxico-génesis.

Este ejemplo que acabamos de explicar puede servir también de apoyo para no caer en el error de pensar que la existencia de estos *alomorfos* podría ir contra la economía del lenguaje.

Además de tener un mismo funcionamiento como *alomorfos* de un determinado *morfema* en la léxico-génesis, formando parte ya de una unidad superior —la lexía—, pueden funcionar como índices formales para diferenciar contenidos semánticos, bien existentes ya en la base como en el caso que hemos explicado, bien surgidos posteriormente al formarse, mediante *alomorfos,* varias lexías, sobre una misma base léxico-semántica.

Ejs.: *Material* - ***idad*** / *Material* - ***ism*** - *o*
*Espiritual* - ***idad*** / *Espiritual* - ***ism*** - *o*
*Viud* - ***edad*** / *Viud* - ***ez***

A nivel *morfema facultativo,* las formas - ***idad,*** - ***ism*** - *o,* - ***edad,*** - ***ez*** y otras varias (cfr. 4.2.1.1.) son *alomorfos* del *morfema facultativo* (*I*) cuya función consiste en transformar bases adjetivas en sustantivos.

La diferenciación semántica se dará a nivel lexía en las parejas puestas como ejemplo.

Esta diferencia semántica no se encuentra en el elemento-base como en el caso de *llano* sino que se establece entre los términos de las parejas originadas.

# 5. CONCLUSIONES: ENRIQUECIMIENTO LÉXICO Y ECONOMÍA

En nuestro trabajo solamente hemos estudiado las formas y las funciones de los elementos que hemos denominado *morfemas facultativos.*

Ha quedado fuera de nuestra consideración el análisis del funcionamiento y valores semánticos de los términos originados.

Es un hecho evidente que los *morfemas facultativos* —conjunto acabado en sincronía— tienen como función específica aumentar el léxico de la lengua, a la vez que su combinatoria con bases diferentes supone una economía de medios.

J. Dubois expresa esto con claridad al darnos la definición de la derivación: «en la lingüística descriptiva la derivación se presenta como un procedimiento léxico específico, gracias al cual el hablante puede formar, a partir de morfemas de base, nuevas unidades; éstas entran a su vez en la constitución de frases inéditas. La derivación es en este análisis un modo de formación de «palabras» (sustantivos, verbos, adjetivos, adverbios) y tiene por objeto acrecentar el caudal léxico» (37).

## 5.1. ESTRUCTURA INTERNA DEL LÉXICO Y MORFEMAS FACULTATIVOS.

Cada lengua configura la sustancia semántica en unas determinadas formas.

---

(37) J. Dubois. «La Dérivation en Linguistique Descriptive et en Linguistique Transformationnelle», en *Travaux de Linguistique et de Litterature,* VI, 1. Strasbourg, 1968, p. 27.

Estas formas pueden orientarse hacia una visión estática, dinámica o indiferente a estas nociones; esta orientación aparece manifestada mediante las categorías gramaticales de sustantivo, verbo y adjetivo.

Consideramos que estos sustantivos, verbos y adjetivos de primera visión o conformación lingüística constituyen la base de la estructuración del léxico de la lengua, pero resulta evidente que esta primera estructuración del léxico se presentará como insuficiente para cubrir las necesidades de la comunicación, desde el momento en que estos primeros semantemas establecerán unas oposiciones de contenido tan general que las matizaciones semánticas serán difíciles de precisar.

Creemos que, para resolver este problema de insuficiencia léxica, la lengua, entre otros procedimientos, se sirve de los *morfemas facultativos no modificadores de categoría.*

Por otra parte, la insuficiencia de esta primera conformación lingüística de la que acabamos de hablar repercutirá en la disponibilidad de elementos para la combinatoria sintáctica.

Por eso pensamos que la lengua cuenta, entre otros procedimientos, con los *morfemas facultativos modificadores de categoría* para resolver esta necesidad.

A la vista de lo que acabamos de decir, se puede hablar de un doble procedimiento sintáctico para paliar la insuficiencia de la primera conformación lingüística: uno sintético, que consideramos propio de la lengua, realizado mediante los *morfemas facultativos* y otro analítico, propio del discurso, realizado por medio de otros elementos gramaticales.

A su vez, tanto los *morfemas facultativos modificadores de categoría* como los *no modificadores,* lexicalizados, pueden entrar a formar parte de bases de futuras creaciones léxicas.

## 5.2. FUNCIÓN DE LOS MORFEMAS FACULTATIVOS EN EL CAMPO DEL LÉXICO.

A la luz de las consideraciones anteriores (cfr. 5.1.) nos parece oportuno añadir que tanto los *morfemas facultativos modificadores de categoría* como los *no modificadores* constituyen, en español, el procedimiento más productivo para la ampliación y renovación del léxico.

Los *morfemas facultativos modificadores de categoría* sirven para ampliar el léxico desde el momento en que hacen aparecer nuevos términos que pasarán como semantemas, en un proceso diacrónico de lexicalización, a la lengua, y allí podrán constituirse en nuevas bases que serán susceptibles de combinarse con nuevos *morfemas facultativos* para originar otros términos léxico-semánticos.

Ejs.:

*Rect - o: Rect -* ***ific*** *- ar:*
- *Rectific -* ***ación***
- *Rectific -* ***ador***
- *Rectific -* ***able***

*Materi - a: Materi -* ***al:***
- *Material -* ***idad***
- *Material -* ***iz*** *- ar*
- *Material -* ***ism*** *- o*

*Anim - o: Anim -* ***os*** *- o:* *Animos -* ***idad***

Por otra parte, los *morfemas facultativos no modificadores de categoría* sirven también para la ampliación del léxico y además para su renovación.

Ejs.: a) *De ampliación:*

*Puerta:* ***Com*** *- puerta*

*Venir:*
- ***A*** *- venir*
- ***Contra*** *- venir*
- ***Con*** *- venir:* ***Re*** *- convenir*
- ***Inter*** *- venir*
- ***Pre*** *- venir*
- ***Pro*** *- venir*

*Camis - a:*
- *Camis -* ***et*** *- a*
- *Camis -* ***ón***

*Ric - o: Ric -* ***ach*** *- o: Ricach -* ***ón***

b) *De renovación:*

*Ovis* .......................................... > $\phi$
*Ovis + -* ***icula*** > *Ovicula* .................... > *Oveja*

En el ejemplo de renovación podemos observar cómo un término léxico, un sustantivo, ha desaparecido y, entonces, una formación léxica proveniente de él y originada mediante un *morfema facultativo,* ha ocupado su lugar.

Finalmente, podemos distinguir entre ampliación y renovación del léxico en cuanto en el primer caso perviven en el sistema el término base y el término o términos originados y, como consecuencia de ello, las posibles matizaciones u oposiciones semánticas, mientras que en el segundo, al perderse la base, el término originado que pase a ocupar su lugar en el léxico, pierde la matización semántica con relación a dicha base, que en un estadio anterior de la lengua tuviera, cuando convivía con ella.

Según lo que venimos diciendo podemos concluir que, en la léxico-génesis por medio de *morfemas facultativos,* en cualquier estadio de la lengua se presentan sustantivos de segunda visión provenientes de bases verbales, adjetivas y/o sustantivas; verbos de segunda visión provenientes de bases sustantivas, adjetivas y/o verbales y adjetivos de segunda visión, provenientes de bases sustantivas, verbales y/o adjetivas.

Ejs.: a) Sustantivos de segunda visión:

*Trat* - ***amient*** - *o* < *Tratar*
*Obscur* - ***idad*** < *Obscuro*
*Barri* - ***ad*** - *a* < *Barrio*

b) Verbos de segunda visión:

*Clas* - ***ific*** - *ar* < *Clase*
*Urban* - ***iz*** - *ar* < *Urbano*
*Ejerc* - ***it*** - *ar* < *Ejercer*

c) Adjetivos de segunda visión:

*Hueso* - ***ud*** - *o* < *Hueso*
*Dese* - ***able*** < *Desear*
*Grand* - ***ot*** - *e* < *Grande*

## 5.3. MORFEMAS FACULTATIVOS Y LÉXICO: ESTABILIDAD, DINÁMICA Y EQUILIBRIO DEL SISTEMA.

Las estructuras del léxico en la lengua se muestran abiertas y, por tanto, pueden aparecer o desaparecer elementos en cualquiera de sus múltiples subsistemas con una facilidad mucho mayor que en las estructuras gramaticales.

No podemos pensar, sin embargo, que la estructura del léxico no esté sometida a ciertas reglas. Lo mismo podemos decir de su ampliación y renovación. En cada estadio de la lengua, el léxico se presenta, en cierto modo, estable y creemos què los elementos reguladores de dicha estabilidad, en gran medida, son los *morfemas facultativos.* Esta acción posiblemente se debe al hecho de constituir los *morfemas facultativos* un conjunto cerrado en sincronía.

Pero, por otra parte, podemos observar que el léxico de la lengua está en continuo cambio. Los elementos que producen tales modificaciones y a su vez las regulan son precisamente, en la mayoría de los casos, los *morfemas facultativos.*

Según lo que venimos diciendo, la acción de estos elementos sobre el léxico es doble: por una parte estabilizan el sistema y, por otra, constituyen el elemento dinámico que provoca los cambios.

La acción dinámica de estos elementos, teóricamente, sólo puede tener dos límites:

a) Que exista un término léxico que ocupe la casilla de un posible término originado.

Ejs.: *Vaca* ......................... *Vac - **ad** - a*
*Abeja* ......................... *Enjambre*

No se ha originado, por innecesario, el término **abejada* formado sobre *abeja,* cuya virtualidad está clara en el sistema, por existir previamente la palabra *enjambre,* mientras que sí se ha formado *vacada* sobre *vaca* por no existir un término léxico correspondiente a esta noción.

b) La dificultad de que aparezcan términos léxicos de tercera visión en sincronía

Finalmente, y, recogiendo los puntos en los que acabamos de insistir, consideramos que los *morfemas facultativos* son elementos verdaderamente de «energeia», por estar llenos de virtualidad, de tal manera que los mismos resultados «ergon» de la «energeia» vuelven a ser virtualidad: en suma, siempre son «energeia», una «energeia» inacabable.

# ÍNDICE DE MORFOS Y ALOMORFOS

## I) DE MORFEMAS FACULTATIVOS ANTEPUESTOS

a$^{1}$ .................... 4.1.; 4.1.1.1.1.
a$^{2}$ .................... 2.4.2.; 4.1.; 4.1.1.1.2.
a$^{3}$ .................... 2.4.2.; 4.1.; 4.1.1.2.3.; 4.1.2.; 5.2.
a$^{4}$ .................... 2.2.; 4.1.; 4.1.1.2.2.; 4.4.
ab- .................... 4.1.; 4.1.1.2.3.
abs- .................... 4.1.; 4.1.1.2.3.; 4.1.2.
ad$^{1}$ .................... 4.1.; 4.1.1.1.1.
ad$^{2}$ .................... 4.1.; 4.1.1.1.2.
ad$^{3}$ .................... 4.1.; 4.1.1.2.3.
an- .................... 2.2.; 4.1.; 4.1.1.2.2.
ante$^{1}$ .................... 4.1.; 4.1.1.2.1.
ante$^{2}$ .................... 4.1.; 4.1.1.2.2.
ante$^{3}$ .................... 4.1.; 4.1.1.2.3.
anti$^{1}$ .................... 4.1.; 4.1.1.2.3.
anti$^{2}$ .................... 4.1.; 4.1.1.2.1.
anti$^{3}$ .................... 4.1.; 4.1.1.2.2.
arc$^{1}$ .................... 4.1.; 4.1.1.2.1.
arc$^{2}$ .................... 4.1.; 4.1.1.2.2.
arce$^{1}$ .................... 4.1.; 4.1.1.2.1.
arce$^{2}$ .................... 4.1.; 4.1.1.2.2.
arci$^{1}$ .................... 4.1.; 4.1.1.2.1.
arci$^{2}$ .................... 4.1.; 4.1.1.2.2.
archi$^{1}$ .................... 4.1.; 4.1.1.2.1.
archi$^{2}$ .................... 4.1.; 4.1.1.2.2.
arque$^{1}$ .................... 4.1.; 4.1.1.2.1.
arque$^{2}$ .................... 4.1.; 4.1.1.2.2.
arqui$^{1}$ .................... 4.1.; 4.1.1.2.1.

arqui[2] ................ 4.1.; 4.1.1.2.2.
arz[1] .................. 4.1.; 4.1.1.2.1.
arz[2] .................. 4.1.; 4.1.1.2.2.
auto[1] ................ 4.1.; 4.1.1.2.1.
auto[2] ................ 4.1.; 4.1.1.2.2.
auto[3] ................ 4.1.; 4.1.1.2.3.
bi[1] ................... 4.1.; 4.1.1.2.1.
bi[2] ................... 4.1.; 4.1.1.2.2.
bio- ................... 4.1.; 4.1.1.2.1.; 4.1.2.
bis[1] .................. 4.1.; 4.1.1.2.1.
bis[2] .................. 4.1.; 4.1.1.2.2.
biz[1] .................. 4.1.; 4.1.1.2.1.
biz[2] .................. 4.1.; 4.1.1.2.2.
circu[1] ................ 4.1.; 4.1.1.2.2.
circu[2] ................ 4.1.; 4.1.1.2.3.
circum[1] .............. 4.1.; 4.1.1.2.2.
circum[2] .............. 4.1.; 4.1.1.2.3.
circun[1] .............. 4.1.; 4.1.1.2.2.
circun[2] .............. 4.1.; 4.1.1.2.3.
cis[1] .................. 4.1.; 4.1.1.2.1.
cis[2] .................. 4.1.; 4.1.1.2.2.
citra- .................. 4.1.; 4.1.1.2.2.
co [1] .................. 4.1.; 4.1.1.1.1.
co[2] ................... 4.1.; 4.1.1.1.2.
co[3] ................... 4.1.; 4.1.1.2.1.
co[4] ................... 4.1.; 4.1.1.2.2.
co[5] ................... 2.2.; 4.1.; 4.1.1.2.3.; 4.1.2.
com[1] ................. 4.1.; 4.1.1.1.1.
com[2] ................. 4.1.; 4.1.1.1.2.
com[3] ................. 4.1.; 4.1.1.2.1.; 5.2.
com[4] ................. 4.1.; 4.1.1.2.2.
com[5] ................. 2.2.; 4.1.; 4.1.1.2.3.
con[1] .................. 4.1.; 4.1.1.1.1.
con[2] .................. 4.1.; 4.1.1.1.2.
con[3] .................. 4.1.; 4.1.1.2.1.
con[4] .................. 4.1.; 4.1.1.2.2.
con[5] .................. 2.2.; 4.1.; 4.1.1.2.3.; 5.2.
contra[1] .............. 4.1.; 4.1.1.2.1.
contra[2] .............. 4.1.; 4.1.1.2.2.
contra[3] .............. 2.3.; 4.1.; 4.1.1.2.3.; 5.2.
cha[1] .................. 4.1.; 4.1.1.2.1.
cha[2] .................. 4.1.; 4.1.1.2.2.

cha[3] ... 4.1.; 4.1.1.2.3.
de[1] ... 4.1.; 4.1.1.1.1.
de[2] ... 4.1.; 4.1.1.1.2.
de[3] ... 4.1.; 4.1.1.2.1.
de[4] ... 2.2.; 4.1.; 4.1.1.2.2.
de[5] ... 4.1.; 4.1.1.2.3.
de[6] ... 4.1.; 4.1.1.2.3.; 4.1.2.
des[1] ... 4.1.; 4.1.1.1.1.
des[2] ... 4.1.; 4.1.1.1.2.
des[3] ... 4.1.; 4.1.1.2.1.
des[4] ... 2.2.; 4.1.; 4.1.1.2.2.
des[5] ... 2.4.3.1.; 4.1.; 4.1.1.2.3.
des[6] ... 4.1.; 4.1.1.2.3.
deca- ... 4.1.; 4.1.1.2.1.; 4.1.2.
di[1] ... 4.1.; 4.1.1.1.1.
di[2] ... 4.1.; 4.1.1.1.2.
di[3] ... 4.1.; 4.1.1.2.1.
di[4] ... 2.2.; 4.1.; 4.1.1.2.2.
di[5] ... 4.1.; 4.1.1.2.3.
di[6] ... 4.1.; 4.1.1.2.3.
di[7] ... 4.1.; 4.1.1.2.1.
dis[1] ... 4.1.; 4.1.1.1.1.
dis[2] ... 4.1.; 4.1.1.1.2.
dis[3] ... 4.1.; 4.1.1.2.1.
dis[4] ... 2.2.; 4.1.; 4.1.1.2.2.
dis[5] ... 4.1.; 4.1.1.2.3.
dis[6] ... 4.1.; 4.1.1.2.3.
dis[7] ... 4.1.; 4.1.1.2.1.
e[1] ... 4.1.; 4.1.1.1.1.
e[2] ... 4.1.; 4.1.1.1.2.
e[3] ... 4.1.; 4.1.1.2.3.
em[1] ... 2.4.; 4.1.; 4.1.1.1.1.
em[2] ... 4.1.; 4.1.1.1.2.
em[3] ... 4.1.; 4.1.1.2.3.
en[1] ... 4.1.; 4.1.1.1.1.
en[2] ... 4.1.; 4.1.1.1.2.
en[3] ... 2.3.; 4.1.; 4.1.1.2.3.
endo[1] ... 4.1.; 4.1.1.2.1.
endo[2] ... 4.1.; 4.1.1.2.2.
entre[1] ... 4.1.; 4.1.1.2.1.
entre[2] ... 4.1.; 4.1.1.2.2.
entre[3] ... 4.1.; 4.1.1.2.3.

entro- . . . . . . . . . . . . . . . . 4.1.; 4.1.1.2.3.
epi- . . . . . . . . . . . . . . . . . . 4.1.; 4.1.1.2.1.
equi[1] . . . . . . . . . . . . . . . . 4.1.; 4.1.1.2.1.
equi[2] . . . . . . . . . . . . . . . . 4.1.; 4.1.1.2.3.; 4.1.2.
es[1] . . . . . . . . . . . . . . . . . 4.1.; 4.1.1.1.1.
es[2] . . . . . . . . . . . . . . . . . 4.1.; 4.1.1.1.2.
es[3] . . . . . . . . . . . . . . . . . 4.1.; 4.1.1.2.3.
ex[1] . . . . . . . . . . . . . . . . . 4.1.; 4.1.1.1.1.
ex[2] . . . . . . . . . . . . . . . . . 4.1.; 4.1.1.1.2.
ex[3] . . . . . . . . . . . . . . . . . 2.4.3.1.; 4.1.; 4.1.1.2.1.
ex[4] . . . . . . . . . . . . . . . . . 4.1.; 4.1.1.2.2.
ex[5] . . . . . . . . . . . . . . . . . 4.1.; 4.1.1.2.3.
exo[1] . . . . . . . . . . . . . . . . 4.1.; 4.1.1.2.1.
exo[2] . . . . . . . . . . . . . . . . 4.1.; 4.1.1.2.2.
extra[1] . . . . . . . . . . . . . . . 4.1.; 4.1.1.1.1.
extra[2] . . . . . . . . . . . . . . . 4.1.; 4.1.1.2.2.; 4.1.2.
foto[1] . . . . . . . . . . . . . . . . 4.1.; 4.1.1.2.1.
foto[2] . . . . . . . . . . . . . . . . 4.1.; 4.1.1.2.2.
gastro[1] . . . . . . . . . . . . . . 4.1.; 4.1.1.2.1.
gastro[2] . . . . . . . . . . . . . . 4.1.; 4.1.1.2.2.
geo[1] . . . . . . . . . . . . . . . . 4.1.; 4.1.1.2.1.
geo[2] . . . . . . . . . . . . . . . . 4.1.; 4.1.1.2.2.
hecto- . . . . . . . . . . . . . . . . 4.1.; 4.1.1.2.1.; 4.1.2.
helio[1] . . . . . . . . . . . . . . . 4.1.; 4.1.1.2.1.
helio[2] . . . . . . . . . . . . . . . 4.1.; 4.1.1.2.2.
hidro[1] . . . . . . . . . . . . . . . 4.1.; 4.1.1.2.1.
hidro[2] . . . . . . . . . . . . . . . 4.1.; 4.1.1.2.2.
hiper[1] . . . . . . . . . . . . . . . 4.1.; 4.1.1.2.1.
hiper[2] . . . . . . . . . . . . . . . 4.1.; 4.1.1.2.2.
hipo[1] . . . . . . . . . . . . . . . . 4.1.; 4.1.1.2.1.
hipo[2] . . . . . . . . . . . . . . . . 4.1.; 4.1.1.2.2.
i[1] . . . . . . . . . . . . . . . . . . 4.1.; 4.1.1.1.1.
i[2] . . . . . . . . . . . . . . . . . . 4.1.; 4.1.1.1.2.
i[3] . . . . . . . . . . . . . . . . . . 4.1.; 4.1.1.2.3.
i[4] . . . . . . . . . . . . . . . . . . 4.1.; 4.1.1.2.1.
i[5] . . . . . . . . . . . . . . . . . . 2.2.; 4.1.; 4.1.1.2.2.
i[6] . . . . . . . . . . . . . . . . . . 4.1.; 4.1.1.2.3.
im[1] . . . . . . . . . . . . . . . . . 4.1.; 4.1.1.1.1.
im[2] . . . . . . . . . . . . . . . . . 4.1.; 4.1.1.1.2.
im[3] . . . . . . . . . . . . . . . . . 4.1.; 4.1.1.2.3.
im[4] . . . . . . . . . . . . . . . . . 4.1.; 4.1.1.2.1.
im[5] . . . . . . . . . . . . . . . . . 2.2.; 4.1.; 4.1.1.2.2.

im[6] . . . . . . . . . . . . . . . . . 4.1.; 4.1.1.2.3.
in[1] . . . . . . . . . . . . . . . . . 4.1.; 4.1.1.1.1.
in[2] . . . . . . . . . . . . . . . . . 4.1.; 4.1.1.1.2.
in[3] . . . . . . . . . . . . . . . . . 4.1.; 4.1.1.2.3.
in[4] . . . . . . . . . . . . . . . . . 4.1.; 4.1.1.2.1.
in[5] . . . . . . . . . . . . . . . . . 2.2.; 4.1.; 4.1.1.2.2.; 4.4.
in[6] . . . . . . . . . . . . . . . . . 4.1.; 4.1.1.2.3.
infra[1] . . . . . . . . . . . . . . 4.1.; 4.1.1.2.1.
infra[2] . . . . . . . . . . . . . . 4.1.; 4.1.1.2.2.
inter[1] . . . . . . . . . . . . . . 4.1.; 4.1.1.2.1.
inter[2] . . . . . . . . . . . . . . 4.1.; 4.1.1.2.2.
inter[3] . . . . . . . . . . . . . . 4.1.; 4.1.1.2.3.; 5.2.
intra[1] . . . . . . . . . . . . . . 4.1.; 4.1.1.2.1.
intra[2] . . . . . . . . . . . . . . 4.1.; 4.1.1.2.2.
intro- . . . . . . . . . . . . . . 4.1.; 4.1.1.2.3.
kili- . . . . . . . . . . . . . . . 4.1.; 4.1.1.2.1.
kilo- . . . . . . . . . . . . . . . 4.1.; 4.1.1.2.1.; 4.1.2.
macro- . . . . . . . . . . . . . 4.1.; 4.1.1.2.1.
maxi- . . . . . . . . . . . . . . 4.1.; 4.1.1.2.1.
mega- . . . . . . . . . . . . . . 4.1.; 4.1.1.2.1.
megalo- . . . . . . . . . . . . 4.1.; 4.1.1.2.1.
meta- . . . . . . . . . . . . . . 4.1.; 4.1.1.2.1.
micro- . . . . . . . . . . . . . 4.1.; 4.1.1.2.1.
mini- . . . . . . . . . . . . . . 4.1.; 4.1.1.2.1.
miria- . . . . . . . . . . . . . . 4.1.; 4.1.1.2.1.; 4.1.2.
mono[1] . . . . . . . . . . . . . 4.1.; 4.1.1.2.1.
mono[2] . . . . . . . . . . . . . 4.1.; 4.1.1.2.2.
multi[1] . . . . . . . . . . . . . 4.1.; 4.1.1.2.1.
multi[2] . . . . . . . . . . . . . 4.1.; 4.1.1.2.2.
neo[1] . . . . . . . . . . . . . . 4.1.; 4.1.1.2.1.
neo[2] . . . . . . . . . . . . . . 2.4.3.2.; 4.1.; 4.1.1.2.2.
ob- . . . . . . . . . . . . . . . 4.1.; 4.1.1.2.3.
omni[1] . . . . . . . . . . . . . 4.1.; 4.1.1.2.1.
omni[2] . . . . . . . . . . . . . 4.1.; 4.1.1.2.2.
o- . . . . . . . . . . . . . . . . 4.1.; 4.1.1.2.3.
paleo[1] . . . . . . . . . . . . . 4.1.; 4.1.1.2.1.
paleo[2] . . . . . . . . . . . . . 4.1.; 4.1.1.2.2.
pan[1] . . . . . . . . . . . . . . 4.1.; 4.1.1.2.1.
pan[2] . . . . . . . . . . . . . . 4.1.; 4.1.1.2.2.
pant[1] . . . . . . . . . . . . . 4.1.; 4.1.1.2.1.
pant[2] . . . . . . . . . . . . . 4.1.; 4.1.1.2.2.
para[1] . . . . . . . . . . . . . 4.1.; 4.1.1.2.1.

para[2] . . . . . . . . . . . . . . . 4.1.; 4.1.1.2.2.
per[1] . . . . . . . . . . . . . . . 4.1.; 4.1.1.2.1.
per[2] . . . . . . . . . . . . . . . 4.1.; 4.1.1.2.2.
per[3] . . . . . . . . . . . . . . . 4.1.; 4.1.1.2.3.
pluri[1] . . . . . . . . . . . . . . 4.1.; 4.1.1.2.1.
pluri[2] . . . . . . . . . . . . . . 4.1.; 4.1.1.2.2.
poli- . . . . . . . . . . . . . . . 4.1.; 4.1.1.2.1.
pos[1] . . . . . . . . . . . . . . . 4.1.; 4.1.1.2.1.; 4.1.2.
pos[2] . . . . . . . . . . . . . . . 4.1.; 4.1.1.2.2.
pos[3] . . . . . . . . . . . . . . . 4.1.; 4.1.1.2.3.
post[1] . . . . . . . . . . . . . . 4.1.; 4.1.1.2.1.
post[2] . . . . . . . . . . . . . . 4.1.; 4.1.1.2.2.
post[3] . . . . . . . . . . . . . . 4.1.; 4.1.1.2.3.
pre[1] . . . . . . . . . . . . . . . 4.1.; 4.1.1.2.1.; 4.1.2.
pre[2] . . . . . . . . . . . . . . . 4.1.; 4.1.1.2.2.
pre[3] . . . . . . . . . . . . . . . 4.1.; 4.1.1.2.3.; 5.2.
pro[1] . . . . . . . . . . . . . . . 4.1.; 4.1.1.2.2.; 4.3.
pro[2] . . . . . . . . . . . . . . . 4.1.; 4.1.1.2.3.; 5.2.
proto[1] . . . . . . . . . . . . . . 4.1.; 4.1.1.2.1.
proto[2] . . . . . . . . . . . . . . 4.1.; 4.1.1.2.2.
psico[1] . . . . . . . . . . . . . . 4.1.; 4.1.1.2.1.
psico[2] . . . . . . . . . . . . . . 4.1.; 4.1.1.2.2.
quili- . . . . . . . . . . . . . . 4.1.; 4.1.1.2.1.
quilo- . . . . . . . . . . . . . . 4.1.; 4.1.1.2.1.
re[1] . . . . . . . . . . . . . . . . 4.1.; 4.1.1.1.1.
re[2] . . . . . . . . . . . . . . . . 4.1.; 4.1.1.1.2.
re- (te/quete)[3] 4.1.; 4.1.1.2.1.
re- (te/quete)[4] 4.1.; 4.1.1.2.2.
re- (te/quete)[5] 2.4.3.1.; 4.1.; 4.1.1.2.3.; 4.1.2.; 5.2.
reta- . . . . . . . . . . . . . . . 4.1.; 4.1.1.2.1.
retro[1] . . . . . . . . . . . . . . 4.1.; 4.1.1.2.1.
retro[2] . . . . . . . . . . . . . . 2.3.; 4.1.; 4.1.1.2.3.
sa[1] . . . . . . . . . . . . . . . . 4.1.; 4.1.1.2.1.
sa[2] . . . . . . . . . . . . . . . . 4.1.; 4.1.1.2.2.
sa[3] . . . . . . . . . . . . . . . . 4.1.; 4.1.1.2.3.
semi[1] . . . . . . . . . . . . . . . 4.1.; 4.1.1.2.1.
semi[2] . . . . . . . . . . . . . . . 4.1.; 4.1.1.2.2.
sesqui- . . . . . . . . . . . . . 4.1.; 4.1.1.2.1.
seudo[1] . . . . . . . . . . . . . 4.1.; 4.1.1.2.1.
seudo[2] . . . . . . . . . . . . . 4.1.; 4.1.1.2.2.
sin- . . . . . . . . . . . . . . . 4.1.; 4.1.1.2.1.
so[1] . . . . . . . . . . . . . . . . 4.1.; 4.1.1.2.1.

so[2] . . . . . . . . . . . . . . . . . 4.1.; 4.1.1.2.2.
so[3] . . . . . . . . . . . . . . . . . 4.1.; 4.1.1.2.3.
sobre[1] . . . . . . . . . . . . . 4.1.; 4.1.1.2.1.
sobre[2] . . . . . . . . . . . . . 4.1.; 4.1.1.2.2.
sobre[3] . . . . . . . . . . . . . 2.4.3.1.; 4.1.; 4.1.1.2.3.
son[1] . . . . . . . . . . . . . . . 4.1.; 4.1.1.2.1.
son[2] . . . . . . . . . . . . . . . 4.1.; 4.1.1.2.2.
son[3] . . . . . . . . . . . . . . . 4.1.; 4.1.1.2.3.
sor[1] . . . . . . . . . . . . . . . 4.1.; 4.1.1.2.1.
sor[2] . . . . . . . . . . . . . . . 4.1.; 4.1.1.2.2.
sor[3] . . . . . . . . . . . . . . . 4.1.; 4.1.1.2.3.
sos[1] . . . . . . . . . . . . . . . 4.1.; 4.1.1.2.1.
sos[2] . . . . . . . . . . . . . . . 4.1.; 4.1.1.2.2.
sos[3] . . . . . . . . . . . . . . . 4.1.; 4.1.1.2.3.
sota- . . . . . . . . . . . . . . 4.1.; 4.1.1.2.1.
soto- . . . . . . . . . . . . . . 4.1.; 4.1.1.2.1.
su[1] . . . . . . . . . . . . . . . . 4.1.; 4.1.1.2.1.
su[2] . . . . . . . . . . . . . . . . 4.1.; 4.1.1.2.2.
su[3] . . . . . . . . . . . . . . . . 4.1.; 4.1.1.2.3.
sub[1] . . . . . . . . . . . . . . . 4.1.; 4.1.1.2.1.
sub[2] . . . . . . . . . . . . . . . 4.1.; 4.1.1.2.2.
sub[3] . . . . . . . . . . . . . . . 4.1.; 4.1.1.2.3.
super[1] . . . . . . . . . . . . . 4.1.; 4.1.1.2.1.
super[2] . . . . . . . . . . . . . 4.1.; 4.1.1.2.2.
super[3] . . . . . . . . . . . . . 4.1.; 4.1.1.2.3.
supra[1] . . . . . . . . . . . . . 4.1.; 4.1.1.2.1.
supra[2] . . . . . . . . . . . . . 4.1.; 4.1.1.2.2.
supra[3] . . . . . . . . . . . . . 4.1.; 4.1.1.2.3.
sus[1] . . . . . . . . . . . . . . . 4.1.; 4.1.1.2.1.
sus[2] . . . . . . . . . . . . . . . 4.1.; 4.1.1.2.2.
sus[3] . . . . . . . . . . . . . . . 4.1.; 4.1.1.2.3.
tatara[1] . . . . . . . . . . . . . 4.1.; 4.1.1.2.1.
tatara[2] . . . . . . . . . . . . . 4.1.; 4.1.1.2.2.
tele[1] . . . . . . . . . . . . . . . 4.1.; 4.1.1.2.1.
tele[2] . . . . . . . . . . . . . . . 4.1.; 4.1.1.2.3.
trans[1] . . . . . . . . . . . . . 4.1.; 4.1.1.1.1.
trans[2] . . . . . . . . . . . . . 4.1.; 4.1.1.2.1.
trans[3] . . . . . . . . . . . . . 4.1.; 4.1.1.2.2.
trans[4] . . . . . . . . . . . . . 4.1.; 4.1.1.2.3.
tras[1] . . . . . . . . . . . . . . 4.1.; 4.1.1.1.1.
tras[2] . . . . . . . . . . . . . . 4.1.; 4.1.1.2.1.
tras[3] . . . . . . . . . . . . . . 4.1.; 4.1.1.2.2.

tras[4] ............... 4.1.; 4.1.1.2.3.
tri[1] ................. 4.1.; 4.1.1.2.1.
tri[2] ................. 4.1.; 4.1.1.2.2.
tri[3] ................. 4.1.; 4.1.1.2.3.
ultra[1] ............... 4.1.; 4.1.1.2.1.
ultra[2] ............... 4.1.; 4.1.1.2.2.
vi- .................... 4.1.; 4.1.1.2.1.
vice- .................. 4.1.; 4.1.1.2.1.
viso- .................. 4.1.; 4.1.1.2.1.
viz- ................... 4.1.; 4.1.1.2.1.
za[1] .................. 4.1.; 4.1.1.2.1.
za[2] .................. 4.1.; 4.1.1.2.2.
za[3] .................. 4.1.; 4.1.1.2.3.
zam[1] ................. 4.1.; 4.1.1.2.1.
zam[2] ................. 4.1.; 4.1.1.2.2.
zam[3] ................. 4.1.; 4.1.1.2.3.

## II) DE MORFEMAS FACULTATIVOS POSPUESTOS

- ac - o/a[1] ............. 4.2.; 4.2.1.2.1.1.
- ac - o/a[2] ............. 4.2.; 4.2.1.2.2.1.
- ac - o/a[3] ............. 4.2.; 4.2.1.2.2.2.
- áce - o/a[1] ............ 4.2.; 4.2.1.2.1.1.
- áce - o/a[2] ............ 4.2.; 4.2.1.2.2.2.
- ach - o/a[1] ............ 4.2.; 4.2.1.2.2.1.
- ach - o/a[2] ............ 4.2.; 4.2.1.2.2.2.; 5.2.
- ad - a[1] ............... 2.4.2.; 4.2.; 4.2.1.1.
- ad - a[2] ............... 2.4.2.; 4.2.; 4.2.1.1.
- ad - a[3] ............... 2.4.2.; 4.2.; 4.2.1.2.1.1.; 5.2.; 5.3.
- ad - a[4] ............... 4.2.; 4.2.1.2.2.1.
- ad - o[1] ............... 4.2.; 4.2.1.1.
- ad - o[2] ............... 4.2.;4.2.1.2.2.1.
- ad - o/a ................ 4.2.; 4.2.1.2.1.1.
- ag - a .................. 4.2.; 4.2.1.2.2.1.
- aje[1] .................. 4.2.; 4.2.1.1.
- aje[2] .................. 4.2.; 4.2.1.1.
- aje[3] .................. 4.2.; 4.2.1.2.2.1.
- aj - o/a[1] .............. 4.2.; 4.2.1.2.2.1.
- aj - o/a[2] .............. 4.2.; 4.2.1.2.2.2.

| | |
|---|---|
| - al[1] | 4.2.; 4.2.1.2.1.1.; 5.2. |
| - al[2] | 4.2.; 4.2.1.2.2.1. |
| - al[3] | 4.2.; 4.2.1.2.2.2. |
| - all - a | 4.2.; 4.2.1.2.2.1. |
| - ambre | 4.2.; 4.2.1.2.2.1. |
| - amen | 4.2.; 4.2.1.2.2.1. |
| - ament - a | 4.2.; 4.2.1.2.2.1. |
| - (i) - an - o/a | 4.2.; 4.2.1.2.1.1. |
| - anc - o/a[1] | 4.2.; 4.2.1.2.2.1. |
| - anc - o/a[2] | 4.2.; 4.2.1.2.2.2. |
| - áncan - o/a[1] | 4.2.; 4.2.1.2.2.1. |
| - áncan - o/a[2] | 4.2.; 4.2.1.2.2.2. |
| - anci - a | 4.2.; 4.2.1.1. |
| - and - o/a | 4.2.; 4.2.1.2.1.2. |
| - áne - o/a | 4.2.; 4.2.1.2.1.1. |
| - ang - o/a[1] | 4.2.; 4.2.1.2.2.1. |
| - ang - o/a[2] | 4.2.; 4.2.1.2.2.2. |
| - ángan - o/a[1] | 4.2.; 4.2.1.2.2.1. |
| - ángan - o/a[2] | 4.2.; 4.2.1.2.2.2. |
| - ante | 4.2.; 4.2.1.2.1.2. |
| - anz - a | 4.2.; 4.2.1.1. |
| - añ - o/a | 4.2.; 4.2.1.2.1.1. |
| - ar[1] | 3.1.; 4.2.; 4.2.1.2.1.1. |
| - ar[2] | 4.2.; 4.2.1.2.2.1. |
| - ari - o[1] | 4.2.; 4.2.1.1. |
| - ari - o[2] | 4.2.; 4.2.1.2.2.1. |
| - ari - o/a | 4.2.; 4.2.1.2.1.1. |
| - arr - o/a[1] | 4.2.; 4.2.1.2.2.1. |
| - arr - o/a[2] | 4.2.; 4.2.1.2.2.2. |
| - arra | 4.2.; 4.2.1.2.1.1. |
| - (ar) - asc - o/a | 4.2.; 4.2.1.2.2.1. |
| - astr - e, o/a[1] | 4.2.; 4.2.1.2.2.1. |
| - astr - e, o/a[2] | 4.2.; 4.2.1.2.2.2. |
| - at - o[1] | 4.2.; 4.2.1.1. |
| - at - o[2] | 4.2.; 4.2.1.1. |
| - at - o/a | 4.2.; 4.2.1.2.2.1. |
| - atari - o/a | 4.2.; 4.2.1.2.1.2. |
| - av - o/a | 4.2.; 4.2.1.2.2.2. |
| - (ar) - az | 4.2.; 4.2.1.2.1.1. |
| - az - o[1] | 4.2.; 4.2.1.1. |
| - az - o[2] | 4.2.; 4.2.1.2.2.1. |
| - az - o/a[1] | 4.2.; 4.2.1.2.2.1. |

- az - o/a[2] .............. 4.2.; 4.2.1.2.2.2.
- azg - o[1] .............. 4.2.; 4.2.1.1.
- azg - o[2] .............. 4.2.; 4.2.1.1.
- azg - o[3] .............. 4.2.; 4.2.1.2.2.1.
- (u/a/i) - ble .......... 4.2.; 4.2.1.2.1.2.; 5.2.
- (a/i) - bund - o/a ..... 4.2.; 4.2.1.2.1.2.
- (a/i) - ción ........... 2.4.2.; 4.2.; 4.2.1.1.; 5.2.
- (e/i) - dad ........... 2.4.2.; 4.2.; 4.2.1.1.; 4.4.; 5.2.
- (a/e/i) - der - o/a .... 4.2.; 4.2.1.2.1.2.
- (a/e/i) - dor/ - dor - a 4.2.; 4.2.1.2.1.2.; 5.2.
- (a/e/i) - dumbre ...... 4.2.; 4.2.1.1.
- (al/et) - e - ar[1] ........ 4.2.; 4.2.1.2.1.3.
- (egu) - e - ar[2] ......... 4.2.; 4.2.1.2.1.4.
- (et/ot) - e - ar[3] ....... 4.2.; 4.2.1.2.2.3.
- e - o/a .............. 4.2.; 4.2.1.2.1.1.
- ec - er[1] .............. 4.2.; 4.2.1.2.1.3.
- (al) - ec - er[2] ......... 4.2.; 4.2.1.2.1.4.
- ec - er[3] .............. 4.2.; 4.2.1.2.2.3.
- (t) - ec - o/a ......... 4.2.; 4.2.1.2.1.1.
- (ar) - ed - a .......... 4.2.; 4.2.1.2.2.1.
- ed - o ............... 4.2.; 4.2.1.2.2.1.
- (i) - eg - o/a ......... 4.2.; 4.2.1.2.1.1.
- ej - o/a[1] ............ 2.4.; 4.2.; 4.2.1.2.2.1.
- ej - o/a[2] ............ 4.2.; 4.2.1.2.2.2.
- el - a ............... 4.2.; 4.2.1.1.
- en - o/a[1] ............ 4.2.; 4.2.1.2.1.1.
- en - o/a[2] ............ 4.2.; 4.2.1.2.2.2.
- enci - a ............ 4.2.; 4.2.1.1.
- enc - o/a ............ 4.2.; 4.2.1.2.1.1.
- eng - o/a[1] .......... 4.2.; 4.2.1.2.1.1.
- eng - o/a[2] .......... 4.2.; 4.2.1.2.2.2.
- engue[1] .............. 4.2.; 4.2.1.2.2.1.
- engue[2] .............. 4.2.; 4.2.1.2.2.2.
- (i) - ense ........... 4.2.; 4.2.1.2.1.1.
- (i) - ent - o/a ........ 4.2.; 4.2.1.2.2.2.
- (ol/ul) - ent - o/a ..... 4.2.; 4.2.1.2.1.1.
- (i) - ente ........... 4.2.; 4.2.1.2.1.2.
- eñ - o/a ............ 4.2.; 4.2.1.2.1.1.
- (ü/igü) - eñ - o/a ..... 4.2.; 4.2.1.2.1.2.
- er - a[1] .............. 4.2.; 4.2.1.1.
- er - a[2] .............. 4.2.; 4.2.1.2.2.1.
- er - o/a ............. 2.3.; 4.2.; 4.2.1.2.1.1.

- erí - a ........ 4.2.; 4.2.1.1.
- és/ - es - a ........ 4.2.; 4.2.1.2.1.1.
- esc - o/a ........ 4.2.; 4.2.1.2.1.1.
- este ........ 4.2.; 4.2.1.2.1.1.
- estre ........ 4.2.; 4.2.1.2.1.1.
- et - e, o/a[1] ........ 4.2.; 4.2.1.2.2.1.; 5.2.
- et - e, o/a[2] ........ 4.2.; 4.2.1.2.2.2.
- eta ........ 4.2.; 4.2.1.2.1.1.
- ez[1] ........ 2.3.; 4.2.; 4.2.1.1.; 4.4.
- ez[2] ........ 4.2.; 4.2.1.2.1.1.
- (al) - ez - a ........ 4.2.; 4.2.1.1.; 4.4.
- ezn - o/a ........ 4.2.; 4.2.1.2.2.1.
- í ........ 4.2.; 4.2.1.2.1.1.
- i - a ........ 4.2.; 4.2.1.1.
- i - o ........ 4.2.; 4.2.1.1.
- i - o/a ........ 4.2.; 4.2.1.2.1.1.
- í - o/a ........ 4.2.; 4.2.1.2.1.1.
- (er) - í - a ........ 4.2.; 4.2.1.1.
- (er) - í - o/a ........ 4.2.; 4.2.1.2.2.1.
- ic - o/a[1] ........ 4.2.; 4.2.1.2.1.1.
- (át) - ic - o/a[2] ........ 4.2.; 4.2.1.2.1.1.
- (c) - ic - o/a[3] ........ 4.2.; 4.2.1.2.2.1.
- (ec) - ic - o/a[3] ........ 4.2.; 4.2.1.2.2.1.
- (cec) - ic - o/a[3] ........ 4.2.; 4.2.1.2.2.1.
- (c) - ic - o/a[4] ........ 4.2.; 4.2.1.2.2.2.
- (ec) - ic - o/a[4] ........ 4.2.; 4.2.1.2.2.2.
- (cec) - ic - o/a[4] ........ 4.2.; 4.2.1.2.2.2.
- ici - a ........ 4.2.; 4.2.1.1.
- ici - o ........ 4.2.; 4.2.1.1.
- icida ........ 4.2.; 4.2.1.2.2.1.
- id - a ........ 4.2.; 4.2.1.1.
- id - o ........ 4.2.; 4.2.1.1.
- (ar) - ieg - o/a ........ 4.2.; 4.2.1.2.1.2.
- (ol) - ient - o/a ........ 4.2.; 4.2.1.2.1.1.
- ific - ar[1] ........ 4.2.; 4.2.1.2.1.3.; 5.2.
- ific - ar[2] ........ 4.2.; 4.2.1.2.1.4.; 5.2.
- ig - o/a ........ 4.2.; 4.2.1.2.1.1.
- igu - ar[1] ........ 4.2.; 4.2.1.2.1.3.
- igu - ar[2] ........ 4.2.; 4.2.1.2.1.4.
- ij - o ........ 4.2.; 4.2.1.1.
- il ........ 4.2.; 4.2.1.2.1.1.
- (c) - ill - o/a[1] ........ 2.4.2.; 4.2.; 4.2.1.2.2.1.

- (ec) - ill - o/a[1] ........ 3.1.; 4.2.; 4.2.1.2.2.1.
- (cec) - ill - o/a[1] ....... 4.2.; 4.2.1.2.2.1.
- (c) - ill - o/a[2] ......... 2.4.3.1.; 4.2.; 4.2.1.2.2.2.
- (ec) - ill - o/a[2] ........ 4.2.; 4.2.1.2.2.2.
- (cec) - ill - o/a[2] ....... 4.2.; 4.2.1.2.2.2.
- in - a ............... 4.2.; 4.2.1.1.
- in - o/a[1] ............ 4.2.; 4.2.1.2.1.1.
- (c) - in - o/a[2] ......... 4.2.; 4.2.1.2.2.1.
- (ec) - in - o/a[2] ........ 4.2.; 4.2.1.2.2.1.
- (cec) - in - o/a[2] ....... 4.2.; 4.2.1.2.2.1.
- (c) - in - o/a[3] ......... 4.2.; 4.2.1.2.2.2.
- (ec) - in - o/a[3] ........ 4.2.; 4.2.1.2.2.2.
- (cec) - in - o/a[3] ....... 4.2.; 4.2.1.2.2.2.
- (ar) - in/ - in - a ...... 4.2.; 4.2.1.2.1.2.
- ingue[1] ............... 4.2.; 4.2.1.2.2.1.
- ingue[2] ............... 4.2.; 4.2.1.2.2.2.
- ing - o/a[1] ............ 4.2.; 4.2.1.2.2.1.
- ing - o/a[2] ............ 4.2.; 4.2.1.2.2.2.
- (s) - ión ............. 4.2.; 4.2.1.1.
- isc - o/a ............. 4.2.; 4.2.1.2.1.1.
- isc - ar ............. 4.2.1.2.2.3.
- ism - o[1] ............. 4.2.; 4.2.1.1.; 4.4.; 5.2.
- ism - o[2] ............. 4.2.; 4.2.1.1.
- ism - o[3] ............. 4.2.; 4.2.1.2.2.1.
- ista ................. 2.4.3.1.; 4.2.; 4.2.1.2.1.1.
- it - ar[1] .............. 4.2.; 4.2.1.2.1.4.
- it - ar[2] .............. 4.2.; 4.2.1.2.2.3.; 5.2.
- (c) - it - o/a[1] ......... 4.2.; 4.2.1.2.2.1.
- (ec) - it - o/a[1] ........ 4.2.; 4.2.1.2.2.1.
- (cec) - it - o/a[1] ....... 4.2.; 4.2.1.2.2.1.
- (c) - it - o/a[2] ......... 4.2.; 4.2.1.2.2.2.
- (ec) - it - o/a[2] ........ 4.2.; 4.2.1.2.2.2.
- (cec) - it - o/a[2] ....... 4.2.; 4.2.1.2.2.2.
- it - a ............... 4.2.; 4.2.1.2.1.1.
- itis .................. 4.2.; 4.2.1.2.2.1.
- iv - o/a ............. 4.2.; 4.2.1.2.1.1.
- (at/it) - iv - o/a ...... 4.2.; 4.2.1.2.1.2.
- iz - ar[1] .............. 4.2.; 4.2.1.2.1.3.
- iz - ar[2] .............. 2.4.; 4.2.; 4.2.1.2.1.4.; 5.2.
- (ad/ed) - iz - o/a ..... 4.2.; 4.2.1.2.1.2.
- iz - o/a[1] ............. 4.2.; 4.2.1.2.1.1.
- iz - o/a[2] ............. 4.2.; 4.2.1.2.2.2.

- (a) - ment - a ........ 4.2.; 4.2.1.2.2.1.
- (a/i) - ment - o ....... 4.2.; 4.2.1.1.
- (a/i) - mient - o ...... 4.2.; 4.2.1.1.; 5.2.
- oide[1] ................ 4.2.; 4.2.1.2.2.1.
- oide[2] ................ 4.2.; 4.2.1.2.2.2.
- ol/ - ol - a ........... 4.2.; 4.2.1.2.1.1.
- ólog - o/a ........... 2.4.3.2.; 4.2.; 4.2.1.2.1.1.
- (az/ez) - ón .......... 4.2.; 4.2.1.1.
- ón/ - on - a[1] ......... 4.2.; 4.2.1.2.1.1.
- ón/ - on - a[2] ......... 4.2.; 4.2.1.2.1.2.
- ón/ - on - a[3] ......... 4.2.; 4.2.1.2.2.1.; 5.2.
- ón/ - on - a[4] ......... 4.2.; 4.2.1.2.2.2.; 5.2.
- ong - o/a[1] ........... 4.2.; 4.2.1.2.2.1.
- ong - o/a[2] ........... 4.2.; 4.2.1.2.2.2.
- or[1] .................. 4.2.; 4.2.1.1.
- or[2] .................. 4.2.; 4.2.1.1.
- or/ - or - a .......... 4.2.; 4.2.1.2.1.2.
- (s/t/at/it) - ori - o/a .. 4.2.; 4.2.1.2.1.2.
- orr - o/a[1] ........... 4.2.; 4.2.1.2.2.1.
- orri - o/a[1] ........... 4.2.; 4.2.1.2.2.1.
- orr - o/a[2] ........... 4.2.; 4.2.1.2.2.2.
- orri - o/a[2] ........... 4.2.; 4.2.1.2.2.2.
- os - o/a[1] ............ 4.2.; 4.2.1.2.1.1.; 5.2.
- os - o/a[2] ............ 4.2.; 4.2.1.2.2.2.
- ot - e/a[1] ............ 4.2.; 4.2.1.2.2.1.
- ot - e/a[2] ............ 4.2.; 4.2.1.2.2.2.; 5.2.
- (i) - ota ............ 4.2.; 4.2.1.2.1.1.
- sor/ - sor - a ......... 4.2.; 4.2.1.2.1.2.
- tad ................ 4.2.; 4.2.1.1.
- tor/ - tor - a, - triz .... 4.2.; 4.2.1.2.1.2.
- (i) - tud ............ 4.2.; 4.2.1.1.
- (z) - uc - o/a[1] ........ 4.2.; 4.2.1.2.2.1.
- (ez) - uc - o/a[1] ........ 4.2.; 4.2.1.2.2.1.
- (cez) - uc - o/a[1] ....... 4.2.; 4.2.1.2.2.1.
- (z) - uc - o/a[2] ........ 4.2.; 4.2.1.2.2.2.
- (ez) - uc - o/a[2] ........ 4.2.; 4.2.1.2.2.2.
- (cez) - uc - o/a[2] ....... 4.2.; 4.2.1.2.2.2.
- (z) - uch - o/a[1] ....... 4.2.; 4.2.1.2.2.1.
- (ez) - uch - o/a[1] ...... 4.2.; 4.2.1.2.2.1.
- (cez) - uch - o/a[1] ..... 4.2.; 4.2.1.2.2.1.
- (z) - uch - o/a[2] ....... 2.4.; 4.2.; 4.2.1.2.2.2.
- (ez) - uch - o/a[2] ...... 4.2.; 4.2.1.2.2.2.

- (cez) - uch - o/a[2] ..... 4.2.; 4.2.1.2.2.2.
- ud .................. 4.2.; 4.2.1.1.
- ud - o/a .............. 4.2.; 4.2.1.2.1.1.; 5.2.
- (z) - uel - o/a[1] ........ 4.2.; 4.2.1.2.2.1.
- (ez) - uel - o/a[1] ....... 4.2.; 4.2.1.2.2.1.
- (cez) - uel - o/a[1] ...... 4.2.; 4.2.1.2.2.1.
- (z) - uel - o/a[2] ........ 4.2.; 4.2.1.2.2.2.
- (ez) - uel - o/a[2] ....... 4.2.; 4.2.1.2.2.2.
- (cez) - uel - o/a[2] ...... 4.2.; 4.2.1.2.2.2.
- uj - o/a ............. 4.2.; 4.2.1.2.2.2.
- umbre .............. 4.2.; 4.2.1.2.2.1.
- un - a ................ 4.2.; 4.2.1.1.
- un - o/a .............. 4.2.; 4.2.1.2.1.1.
- ung - o/a[1]............ 4.2.; 4.2.1.2.2.1.
- ung - o/a[2]............ 4.2.; 4.2.1.2.2.2.
- ur - a ............. 2.4.3.1.; 4.2.; 4.2.1.1.; 4.4.
- (ad/ed/id) - ur - a .. 4.2.; 4.2.1.1.
- (at/it/s) - ur - a .... 4.2.; 4.2.1.1.
- urr - o/a[1] ........... 4.2.; 4.2.1.2.2.1.
- urri - o/a[1]............ 4.2.; 4.2.1.2.2.1.
- urr - o/a[2] ............ 4.2.; 4.2.1.2.2.2.
- urri - o/a[2]........... 4.2.; 4.2.1.2.2.2.
- usc - o/a[1]............ 4.2.; 4.2.1.2.2.1.
- uzc - o/a[1]............ 4.2.; 4.2.1.2.2.1.
- usc - o/a[2]............ 4.2.; 4.2.1.2.2.2.
- uzc - o/a[2]............ 4.2.; 4.2.1.2.2.2.
- uz - a ............... 4.2.; 4.2.1.2.2.1.

III) DE MORFEMAS FACULTATIVOS ANTEPUESTOS Y/O POSPUESTOS

filo -, - filo ............ 2.4.2.; 4.3.

## BIBLIOGRAFÍA GENERAL


ALARCOS LLORACH, E.—*Gramática Estructural,* Gredos. Madrid, 1969.

ALEMANY BOLUFER, J.—*Tratado de la Formación de Palabras en Lengua Castellana. La Derivación y la Composición. Estudio de los Sufijos y Prefijos Empleados en una y otra.* Victoriano Suárez. Madrid, 1920.

ALONSO, A.—«Noción, Emoción, Acción y Fantasía en los Diminutivos», en *Estudios Lingüísticos. Temas Españoles.* Gredos. Madrid, 1967, pp. 161-189.

BELLO, A. y CUERVO, R. J.—*Gramática de la Lengua Castellana.* Sopena. Buenos Aires, 1970.

BENVENISTE, E.—*Problemas de Linguística General.* Siglo XXI. México, 1971.

BOURCIEZ, E.—*Éléments de Linguistique Romane.* Klincksieck. París, 1967.

BÜHLER, K.—*Teoría del Lenguaje.* Revista de Occidente. Madrid, 1967.

BUSTOS, E. de.—«Algunas Consideraciones sobre la Palabra Compuesta como Signo Lingüístico», en *Revista de Filología Española,* XLIX. 1966, pp. 255-274.

CASULLO DE CARILLA, C.—«Nota sobre el Diminutivo en Español y en Francés», en *Humanidades,* VIII, núm. 13. México, 1960, pp. 189-194.

COROMINAS, J.—*Diccionario Crítico-Etimológico de la Lengua Castellana.* Cuatro Vols. Gredos. Madrid, 1974.

COSERIU, E.—«Sistema, Norma y Habla», en *Teoría del Lenguaje y Lingüística General.* Gredos. Madrid, 1967, pp. 11-113.

COSERIU, E.—«Las estructuras Lexemáticas», en *Principios de Semántica Estructural.* Gredos. Madrid, 1977, pp. 162-184.

CHOMSKY, N.—*Aspectos de la Teoría de la Sintaxis.* Aguilar. Madrid, 1970.

DIAMOND, A. S.—*Historia y Orígenes del Lenguaje.* Alianza Editorial. Madrid, 1974.

DUBOIS, J.—«La Dérivation en Linguistique Descriptive et en Linguistique Transformationnelle», en *Travaux de Linguistique et de Littérature,* VI, 1. Strasbourg, 1968, pp. 27-53.

DUBOIS, J.—*Grammaire Strucural du Francais: La Phrase et les Transformations.* Larousse. París, 1969.

FRANÇOIS, F.—«La Descripción Lingüística», en *La Lengua.* Nueva Visión. Buenos Aires, 1973, pp. 7-107.

GILI Y GAYA, S.—«Sonreir ( $\prec$ SUB + RUGIRE)», en *Revista de Filología Española,* VIII, 1921, pp. 405-406.

GILI Y GAYA, S.—«Sobajar ( $<$ so $<$ SUB + bajar)», en *Revista de Filología Española,* XIII, 1926, pp. 373-375.

GIMENO CASALDUERO, J. y MUÑOZ CORTES, M.—«Notas sobre el Diminutivo en García Lorca», en *Archivum,* IV, Oviedo, 1954, pp. 277-304.

GONZÁLEZ OLLÈ, F.—*Los Sufijos Diminutivos en Castellano Medieval.* Consejo Superior de Investigaciones Científicas. Madrid, 1962.

GOOCH, A.—*Diminutive, Augmentative and Pejorative Suffixes in Modern Spanish.* Pergamon Press. London, 1967.

GUILBERT, L.—*La Créativité Lexicale.* Larousse. París, 1975.

HARRIS, J. W.—«Alternancias Consonánticas en Morfología Derivativa», en *Fonología Generativa del Español.* Planeta. Barcelona, 1975, pp. 163-192.

HASSELROT, B.—*Étude sur la Formation Diminutive dans les Langues Romanes.* Upsala, 1957.

HJELMSLEV, L.—«Lengua y Habla», en *Ferdinand de Saussure.* Siglo XXI. Buenos Aires, 1971, pp. 121-135.

HJELMSLEV, L.—*Prolegómenos a una Teoría del Lenguaje.* Gredos. Madrid, 1971.

HJELMSLEV, L.—«La Estratificación del Lenguaje», en *Ensayos Lingüísticos.* Gredos. Madrid, 1972, pp. 47-89.

KANY CHARLES, E.—*Semántica Hispanoamericana.* Aguilar. Madrid, 1969.

LAMÍQUIZ, V.—*Morfosintaxis Estructural del Verbo Español.* Publicaciones de la Universidad de Sevilla. Sevilla, 1972.

LAMÍQUIZ, V.—*Lingüística Española.* Publicaciones de la Universidad de Sevilla. Sevilla, 1973.

LÁZARO CARRETER, F.—*Diccionario de Términos Filológicos.* Gredos. Madrid, 1971.

LÁZARO CARRETER, F.—«Transformaciones Nominales y Diccionario», en *Revista Española de Lingüística,* 1, 2, 1971, pp. 371-379.

LÁZARO CARRETER, F.—«¿Consonantes Antihiáticas en Español?», en *Homenaje a Antonio Tovar.* Gredos. Madrid, 1972, pp. 253-264.

LEVICKA, H.—«Pour une Histoire Structurale de la Formation des Mots en Français», en *Actas del XI Congreso Internacional de Lingüística y Filología Románicas,* II. Consejo Superior de Investigaciones Científicas. Madrid, 1968, pp. 649-658.

LÓPEZ, M.ª L.—«Prefijos y Preposiciones en Español», en *Problemas y Métodos en el Análisis de Preposiciones.* Gredos. Madrid, 1970, pp. 87-92.

LYONS, J.—*Introducción en la Lingüística Teórica.* Teide. Barcelona, 1973.

MALKIEL, Y.—«Los Interfijos Hispánicos. Problema de Lingüística Histórica y Estructural», en *Miscelánea-Homenaje a A. Martinet,* II. Universidad de La Laguna, 1958, pp. 107-199.

MALMBERG, B.—*Los Nuevos Caminos de la Lingüística.* Siglo XXI. México, 1970.

MARTIN, R.—«A Propos de la Dérivation Adjetive: Quelques Notes sur la Définition du Suffixe», en *Travaux de Linguistique et de Littérature,* VIII, 1. Strasbourg, 1970, pp. 155-166.

MARTINET, A.—*La Linguistique. Guide Alphabetique.* Denoël. París, 1969.

MARTINET, A.—*Elementos de Lingüística General.* Gredos. Madrid, 1970.

MARTÍNEZ CELDRÁN, E.—«A Propósito de las Leyes Diacrónicas de Evolución y las Sincrónicas de Formación», en *Revista Española de Lingüística,* 4, 1, 1974, pp. 177-195.

MARTÍNEZ CELDRÁN, E.—*Sufijos Nominalizadores del Español.* Ediciones de la Universidad de Barcelona. Barcelona, 1975.

MENÉNDEZ PIDAL, R.—*Manual de Gramática Histórica Española.* Espasa-Calpe. Madrid, 1962.

MONGE, F.—«Los Diminutivos en Español», en *Actes du Xe Congrès International de Linguistique et Philologie Romanes,* I. Strasbourg, 1962, pp. 137-147.

MONINO, Y.—«Dérivation, Composition et Emprunt dans le Vocabulaire des Techniques Ngbka-Ma'bo». (Republique Centrafricaine), en *La lingüístique,* 6, 1. 1970, pp. 117-146.

NÁÑEZ FERNÁNDEZ, E.—*El Diminutivo. Historia y Funciones en el Español Clásico y Moderno.* Gredos. Madrid, 1973.

NEIRA MARTÍNEZ, J.—«Los Prefijos *dis-, ex-* en las Hablas Leonesas», en *Actas del XI Congreso Internacional de Lingüística y Filología Románicas,* IV. Consejo Superior de Investigaciones Científicas. Madrid, 1968, pp. 2.023-2.032.

NIDA, E.—*Morphology. The Descriptive Analysis of Words.* Ann Arbor. The Univ. of Michigan Press, 1965.

PATTISON, D. G.—*Early Spanish Suffixes.* Oxford, 1975.

PERROT, J.—«El léxico», en *La Lengua.* Nueva Visión. Buenos Aires, 1973, pp. 109-122.

PEYTARD, J.—«Motivation et Préfixation: Remarques sur les Mots Construits avec l'Élément «tele»», en *Cahiers de Lexicologie,* 4, 1964, I, pp. 37-44.

POTTIER, B.—*Introduction à l'Étude de la Morphosyntaxe Espagnole.* París, 1963.

POTTIER, B.—*Presentación a la Lingüística.* Alcalá, Madrid, 1968.

POTTIER, B.—«Los Infijos Modificadores en Portugués», en *Lingüística Moderna y Filología Hispánica.* Gredos. Madrid, 1970, pp. 161-185.

POTTIER, B.—*Gramática del Español.* Alcalá. Madrid, 1970.

POTTIER, B.—*Le Langage*. París, 1973.

QUILIS, A.—«Sobre la Morfonología. Morfonología de los Prefijos en Español», en *Homenaje a M. Pidal,* IV. *Revista de la Universidad de Madrid,* XIX, 1970, pp. 169-184.

RANSON, H.—«Diminutivos, Aumentativos y Despectivos», en *Hispania,* XXXVII. Baltimore, 1954, pp. 406-408.

REAL ACADEMIA ESPAÑOLA.—*Gramática de la Lengua Española.* Espasa-Calpe. Madrid, 1931.

REAL ACADEMIA ESPAÑOLA.—*Diccionario de la Lengua Española.* Madrid, 1970.

REINHEIMER, S.—«Les Suffixes - *iser* et - */i/fier* en Français», en *Actas del XI Congreso Internacional de Lingüística y Filología Románicas,* III. Consejo Superior de Investigaciones Científicas. Madrid, 1968, pp. 1.361-1.368.

REY, A.—«Un Champ Préfixal: Les Mots Françaises en *anti*», en *Cahiers de Lexicologie,* 12, 1968, I, pp. 37-57.

RODRÍGUEZ ADRADOS, F.—*Estudios de Lingüística General.* Planeta. Barcelona, 1969.

RODRÍGUEZ ADRADOS, F.—*Lingüística Estructural.* Gredos. Madrid, 1969.

RODRÍGUEZ ADRADOS, F.—«Rasgos Semánticos, Rasgos Gramaticales y Rasgos Sintácticos», en *Revista Española de Lingüística,* 2,2, 1972, pp. 249-258.

SAUSSURE, F. DE.—*Curso de Lingüística General.* (Traducción, prólogo y notas de Amado Alonso). Losada. Buenos Aires, 1971.

SECO, M.—*Gramática Esencial del Español. Introducción al Estudio de la Lengua.* Aguilar, Madrid, 1972.

SELVA, J. B.—«Acción de los Prefijos en el Crecimiento del Habla», en *Boletín de la Academia Argentina de Letras,* XIV. Buenos Aires, 1945, pp. 16-18.

STEIN, G.—«La Dérivation Française et le Probléme des Consonnes Intercalaires», en *Cahiers de Lexicologie,* 18, 1971, I, pp. 43-64.

SWADESH, M.—*El Lenguaje y la Vida Humana.* Fondo de Cultura Económica. México, 1966.

TESNIÈRE, L.—*Éléments de Syntaxe Structurale.* Klienksieck. París, 1969.

ULMANN, J.—*Précis de Sémantique Française.* A. Francke. Berne, 1952.

URRUTIA, H.—«Aproximaciones Metodológicas en el Estudio de la Formación de Palabras», en *Español Actual.* (OFINES), 20 Diciembre 1971, pp. 21-24.

URRUTIA, H.—*Lengua y Discurso en la Creación Léxica.* Planeta. Madrid, 1978.

VENDRYES, J.—*El Lenguaje.* Uthea. México, 1967.

WAGNER, M. L.—«Gramatikalization der Suffixfunktion in den Ibero-romanischen Sprachen», en *Archiv für das Studium der Neueren Sprachen,* XLVII. Braunschweig-Berlín, 1924, pp. 265-267.

WAGNER, M. L.—«Zum Spanisch - Portugiesischen Suffix *-al*», en *Volkstum und Kultur der Romanen,* III. Hamburg, 1930, pp. 87-92.

WAGNER, M. L.—«Zum Spanisch - Portugiesischen Suffix *-azo*», en *Zeitschrift für Romanische Philologie,* LXIV. Halle, 1944, pp. 353-356.

WINTHER, A.—«Note sur les Formations Déverbales en *-eur* et en *-ant*», en *Cahiers de Lexicologie,* 26, 1975, I, pp. 56-84.

YNDURAIN, F.—«Sobre el Sufijo *-ezno*», en *Archivo de Filología Aragonesa,* IV, 1952, pp. 195-200.